Useful book of vegetables

からだにおいしい

# 野菜の便利帳

板木利隆 監修

高橋書店

# はじめに

穀物、野菜、魚を中心とした日本人の食の様式は、江戸時代にかたまっていたといわれています。四季のある島国に暮らす私たちは、それらの「旬」を食す喜びを、つねに生活の根幹に感じ続けていたのです。

戦後の日本は、急激に食の欧米化を進め、体格の向上をめざしました。その結果、現代人の多くが高脂肪、高カロリー食を原因とする生活習慣病を抱え、大きな問題になってきています。

そんな健康への意識もあって、年々野菜に対する期待感が高まっています。数々の効能が改めて注目され、以前はまったく耳にしなかった、野菜の抗酸化作用や食物繊維の重要性も、広く知られるところとなりました。一方で旬を越えた促成栽培、化学肥料や薬剤、遺伝子組み換え、輸入野菜の安全性などや、もちろん地球環境も含めて、不安や問題にも目を向けていかなければならないでしょう。

本書では、いくつもの視点から、広く流通している野菜の魅力と楽しみ方を紹介していきます。

## 葉を食べる……99



## 海藻、お茶、山菜、茸を食べる……145

海藻 お茶
山菜 茸

実

果

根

香

葉

# この本の特徴

この本では、野菜、穀物、
きのこ、山菜、果物、香草など
100種以上を紹介しています。
効能が気になる、品種がわからない、
下ごしらえの方法を調べたい、
簡単な調理方法を知りたい、
といったときに
気軽に開いてみてください。

## 分類・表記

野菜の分類法はいろいろありますが、この本では「実を食べる」「葉を食べる」というように、おもに食用とする部位別にしました。また、野菜ではありませんが、日常的によく食される、海藻やきのこ類、お茶などをまとめた項目も作りました。

そして野菜の名称は、単一のものばかりではなく、たとえば「にがうり」を「ゴーヤ」と呼ぶ人もいれば、「れいし」と呼ぶ人もいるでしょう。このように野菜の「商品名」にはバラつきがあります。その根拠となるものはさまざま。品種名、地方俗称、商品用名称、俗称などがあり、品種名と商品名が一致しない場合もあります。そこでこの本では、野菜の名称は「独立行政法人　農畜産業振興機構」の表記を基準にしました。

各野菜で大きく扱っている写真は、その野菜でいちばん多く流通している品種で、そのほかの品種や同じ系統の野菜などは、まとめて「品種群」として紹介しています。

近年、市場に多く出回っているものを集めましたが、品種改良がさかんな野菜は、つねに入れ替えがあり地方品種や伝統野菜も徐々に増えてきています。野菜市場にも流行があることを、ご承知おきください。

## 産地・旬

たとえば日本でもっとも多く収穫される果菜・トマトは、温度管理されたハウスでの栽培がさかんです。トマトは昼夜の温度差が大きい環境を好むので、朝晩の気温が下がる春や秋に収穫されるトマトのほうが、夏に収穫されるものよりおいしいといわれています。

このように、周年作られている野菜が多くなり、その産地がどこなのか、露地で栽培されたものなのか、ハウス栽培なのかによって、それぞれ違った「旬」があるのです。また、同じ野菜でも品種が違えば、その旬が異なることも少なくありません。

そんな複雑な旬と産地の情報を、「おいしいカレンダー」と「栽培分布図」にまとめてあります。データは農林水産省統計情報部の園芸統計などを参考に作成しています。

## 栄養・効能など

栽培の歴史、栄養価とその効能などは、解説文に簡潔にまとめました。

注目すべき栄養成分や効能は、トピックスとして取り上げる場合もあります。また、その有効性を高めるような調理法や、ほかの食材との組み合わせ方といった、実用性の高い情報も紹介しています。

## 選び方・保存法

多くの野菜は収穫後、時間がたつとともに水分や栄養分が減っていきます。ですから見た目がみずみずしくハリがあり、同じ大きさでも重みがあるかどうかが、新鮮なものを選ぶひとつの基準といえるでしょう。この本では、ほかにもよりよい野菜を見分けるポイントを多数紹介しています。

もちろんすぐには食べきれない場合もあるでしょう。そのまま保存する場合は、通気性と保湿性が高い新聞紙を使う方法をすすめていますが、もちろん手近にある別の物でもかまいません。下ゆで、食べやすい大きさに切って冷凍、酢漬けなどに加工、といった保存法も紹介しています。また、かぼちゃやさつまいものように、しばらく置いておくことで、よりおいしくなる野菜もあります。そんな野菜別の正しい保存方法についてもふれています。

## 料理・おいしいコツ

野菜の魅力を引き出す料理として、定番メニューからオリジナリティあふれるものまで、多数紹介しました。もちろん、どれも作る手間がかからないものばかり。ご家庭で人気のおかずとなる一品が、必ず見つかることでしょう。

ゆで方、切り方、下ごしらえの方法といった調理のポイントや、ちょっと変わった利用法、メニュー作りのヒントになるような簡単レシピなど、盛りだくさんの「おいしいコツ」というコーナーもあります。

また、残留農薬などが気になる場合に、キッチンでできる対処法もあわせて記しました。野菜に対しての安心感が高まります。

Lettuce

# この本の使い方

## 解説

利用や栽培の歴史、栄養成分と効能、品種、おもな調理法など、その野菜の特徴を解説してあります。

根

緑黄色野菜

にんじん

人参

carrot

たっぷりのカロテンで免疫力をアップする

原産地はアフガニスタン。トルコを経てヨーロッパに伝わった西洋種とアジア東方に伝わった東洋種があります。日本には、江戸時代に中国から東洋種が伝わり、明治以降に西洋種が入りました。現在流通しているもののほとんどは西洋種です。

豊富に含まれるカロテンは、免疫力を高め、皮膚や粘膜を強くし、ガン、心臓病、動脈硬化などに効果があるといわれています。カリウム、カルシウムも豊富で、ビタミンCも含まれています。

Data

**注目の栄養成分**

カロテン、ビタミンC、カリウム、カルシウム

**エネルギー**

35kcal／100g

**おいしい時期**

4月～7月、11月～12月

**保存**

ビニール袋に入れ、冷蔵庫の野菜室で立てて保存

五寸にんじん

葉がいきいきとした緑色で、元気がある

なめらかで、にんじん特有の赤みが強く、ハリがあるもの

品種群

「金時《きんとき》」

お正月用に多く出回る、東洋種の京にんじん。鮮やかな赤い色はカロテンではなくリコピン。

「金美《きんび》」

中国系をかけ合わせた黄色い品種。クセがなく肉質はやわらかい。生食も可。長さは約20㎝。

「島にんじん」

沖縄の在来種。ごぼうのように細長い黄色にんじん。冬のみ出回る。

ミニにんじん

ベビーニンジンとも呼ばれる、10㎝ほどの小型種。丸のままサラダやつけ合わせなどに。

紫にんじん

表皮は紫だが、芯はオレンジ色のにんじん。カロテンのほかにアントシアニンを含む。

にんじんはビタミンCを壊す？

にんじんに含まれる酵素、アスコルビン酸オキシターゼは、還元型ビタミンCを酸化型にする働きがあり、「ビタミンCを壊す」と言われていた。しかし現在では酸化型も体内で還元型に戻ることがわかっており、その働きは同じとされている。

76

## 名称

野菜名の表記は、独立行政法人農畜産業振興機構が使用しているものに準じています。ただし、一般的な名称のほうがわかりやすいものは、併記しています。

## データ

注目の栄養成分（香りや色を含む）、可食部分（生）100gあたりのエネルギー量、おいしい時期、保存方法などをまとめてあります。データは『日本食品標準成分表2020年版（八訂）』に基づいています。

## トピックス

栄養情報から、その野菜にまつわるいい伝えや民間療法、効果的な食べ合わせなど、雑学的要素を盛り込みました。

## 品種群

同じ野菜の他品種や改良種、同じグループの野菜などをまとめて取り上げました。品種名のみに「　」をつけてあります。

## メイン写真

その野菜でいちばん多く流通している品種の写真を大きく扱っています。野菜の良し悪しを見分けるポイントも、あわせて記しています。

## アイコン

おいしいポイント、健康に効く、クッキングのコツ、安心のために、の４つのマークを設定し、よりわかりやすい紙面作りを心がけました。

## おいしいコツ

ゆで方、切り方といった調理での下ごしらえから、よりおいしく食べるためのヒント、さらに保存方法やかわった利用法まで記してあります。

## かんたんレシピ

手軽に作れ、野菜の魅力を引き出すレシピを紹介しています。目安として記した材料や分量をもとに、お楽しみください。

## 安心への下準備

残留農薬や環境汚染物質などが気になる場合に、キッチンで実践できる対処方法について記してあります。

おいしい ポイント　健康に 効く　クッキングの コツ　安心の ために

おいしいコツ

ラップで包む

使いかけのにんじんはラップで包み、冷蔵庫の野菜室で保存。

ビニール袋に入れ、立てて保存

蒸れたり湿ったりすると傷むので、汗をかいてきたらこまめにふき取る。

美肌と目のための常備薬

にんじんはスライサーで細切りにし、熱湯をかける。湯で戻したレーズンを加え、塩、こしょう、ビネガー、オリーブ油、オレンジジュースで作ったドレッシングにひたす。１週間ほど保存が可能。

にんじん嫌いの子どもが減ったわけ

二十数年前のデータによれば、にんじんは子どもの嫌いな野菜の2位だった。ところが近年の調査では、なんと好きな野菜の8位にランクイン。これはにんじんの品種改良が進んだからで、独特の香りが減り、甘みが増したため、クセがなくなって食べやすくなったのだ。ジュースの素材としても使われており、いまや子どもにとっては身近なおいしい野菜なのだろう。

料理

にんじんのペースト

材料

にんじん…２本
生クリーム…100cc
バター…適量
塩、こしょう…少々

作り方

1. にんじんを輪切りにし、やわらかくなるまでゆでる。
2. マッシャーでつぶし、熱いうちにバター、生クリームを加え、塩、こしょうで味を調える。

安心への下準備

タワシなどを使い、きちんと洗ってよく流す。

皮の下には栄養たっぷり

たっぷり含まれるカロテンは表皮の下にもっとも多いので、できるだけむかないで調理しよう。そもそもにんじんは出荷される際、きれいに洗われているので、薄皮やヒゲ根はすでに処理されている。調理前に洗う程度で充分。

葉は栄養豊富

葉つきのものが手に入ったら、ぜひ食べよう。香りがよく、ビタミンCやカルシウムが豊富な葉は、天ぷら、おひたし、炒め物などに。かたい茎は下ゆでし、さらに細かくきざんでから調理すると気にならなくなる。

栽培分布図

生産量１位の北海道は秋にんじんの産地。２位の千葉は春夏と冬の２回。徳島は春夏、青森は春夏から秋にかけて。

夏～秋
春夏、冬
春夏

おいしいカレンダー

●旬

1 2 3 4 5 6 7 8 9 10 11 12

春夏にんじん　千葉、徳島、愛知
秋にんじん　北海道、青森
冬にんじん　千葉、茨城、愛知

77 根 ―緑黄色野菜　にんじん

## 栽培分布図・おいしいカレンダー

生産量の多い地域を地図に、旬をカレンダーに、それぞれまとめました。

# 野菜の栄養学

ふだん食べている食物に
どんな栄養成分が含まれているのか、
それは体内でどんな働きをするのか、を
知ることは
体に必要な栄養を
バランスよく摂るために
おおいに役立ちます。

食べ物は、それぞれの栄養的特徴によって、エネルギー源になるものや体を作る材料になるものなどがあります。野菜の特徴はビタミン、ミネラル、食物繊維が豊富に含まれていることで、これらは体内の働きをスムーズにする役割を担っています。ですから健康維持のためには、毎日の食事に野菜は不可欠なのです。厚生労働省では、生活習慣病を防ぐための食事の目安として、１日３５０ｇ以上を摂るよう勧めています。

野菜は見た目の色と栄養成分によって、緑黄色野菜と淡色野菜とに大別できます。緑黄色野菜は色が濃く、βカロテンを摂りやすい野菜で、淡色野菜は逆に見た目や中身の色が薄く、βカロテンが摂りにくい野菜です。毎日の食事で、βカロテンを多く含む緑黄色野菜を１２０ｇ以上、それに淡色野菜を合わせて３５０ｇ以上摂るのが理想です。

それぞれの野菜のもつさまざまな栄養素の特徴を知り、毎日の食事に上手に取り入れていきたいものです。

## 栄養の基本

食べ物に含まれる栄養素は１００種類以上あります。そのうち、たんぱく質、脂質、炭水化物を三大栄養素といい、おもに体を作ったり動かしたりするためのエネルギー源になります。

これらにビタミン、ミネラルを加えて五大栄養素と呼びます。たんぱく質、脂質、ミネラルは体を作る成分になり、ビタミンやミネラル、食物繊維などは、体の機能を調整するために使われます。すべてが人間の生命活動に不可欠です。

とくに野菜は、ほかの食物からは摂りにくいビタミンやミネラル、食物繊維が豊富に含まれているのが栄養的特徴です。

近年よく耳にするポリフェノール、フラボノイド、ルチン、ムチンなどの栄養素は、さまざまな効果が期待される機能性成分。これらも野菜に含まれるものが多く、野菜の特徴として注目されています。

# 収穫期の野菜を積極的に使おう

日本では、多くの野菜は一年じゅう店頭に出回っています。しかし同じ野菜でも、旬の時期のものは味がよく、栄養価も高いのです。

たとえば『日本食品標準成分表（七訂）』によると、冬が旬の「ほうれん草」に含まれるビタミンCの量は、冬採りは60㎎、夏採りは20㎎と季節によって栄養価が違います。冬と夏とで栄養価が異なるのは、育つ環境が違うこと、つまり冬に比べ夏のほうが気温の関係で生長が早く、充分な栄養素を産生する前に収穫されるため、といわれています。またほうれん草は、気温が氷点下になると自ら糖分を産生して凍らないようにします。だから冬のほうれん草は〝甘い〟のです。

このように旬の時期に収穫された野菜は、その野菜本来の特徴をしっかりもって育つため、栄養的にもすぐれているのです。

# 野菜の基礎栄養学

—野菜の成分とその働き—

## たんぱく質

たんぱく質は、おもに肉や魚介類、豆類に多く含まれ、野菜にはあまり多くは含まれていません。

消化されると多数のアミノ酸に分解されて体内に運ばれ、筋肉や臓器、皮膚、髪など体のあらゆる組織に合成されます。また、体を動かすエネルギー源や、酵素やホルモンの成分にもなります。

## 脂質

肉や魚、豆や種実などに多く含まれていて、野菜にはごくわずかしか含まれていません。

脂質は高エネルギーの栄養素です。摂りすぎると中性脂肪に合成されて体内に蓄えられ、体脂肪になります。しかし脂質に含まれる脂肪酸やコレステロールは、体を構成するのに不可欠な成分なので、適量の摂取が必要です。

## 炭水化物

糖質と食物繊維を合わせて炭水化物といいます。

穀物や砂糖類のおもな成分である糖質は、ブドウ糖に分解されエネルギー源になります。たんぱく質や脂質より消化吸収が早いので、食べてすぐに利用されます。ちなみに血糖値とは、血液中のブドウ糖の量のことです。ブドウ糖は脳の唯一のエネルギー源でもあります。

穀物や野菜に含まれている食物繊維は、ヒトの消化酵素では消化されにくい成分のことで、野菜の栄養的特徴のひとつです。これは水に溶ける水溶性と溶けない不溶性とに分類できます。

## ビタミン

### ビタミンＡ（脂溶性ビタミン）

色の濃い野菜に多く含まれているビタミンです。野菜にはカロテンの形で含まれていて、体内でビタミンＡにかわります。レバーやウナギにも多く含まれますが、これはレチノールという形で含まれています。

目の健康に不可欠なビタミンで、視力を保つ役割があります。また、皮膚や粘膜を健康に保つ役割も担っていて、全身の多種多様な生理作用に関わっています。

### ビタミンＤ（脂溶性ビタミン）

カルシウムの吸収や骨への沈着のために必要なビタミンです。また、血液や筋肉内でのカルシウムの濃度を保つ役割もあります。

不足すると骨《こつ》粗《そ》鬆症《しょうしょう》の原因になります。ビタミンＤは食物から摂れますが、紫外線を浴びると皮膚でも合成されます。

多く含む食材は、きくらげや干ししいたけ（天日干し）など限られており、野菜からはほとんど期待できないビタミンです。

### ビタミンＥ（脂溶性ビタミン）

野菜にはあまり含まれておらず、含まれるものは西洋かぼちゃや赤ピーマンなど限られています。植物油や種実油に多く含まれます。体内での酸化を防ぐ抗酸化作用が高く、血管の老化やガン予防の効果が期待できます。またＬＤＬ（悪玉）コレステロールの酸化を防ぐため、動脈硬化も防ぐといわれています。

このほかに血液の流れをよくし、ホルモンの生成や分泌、生殖機能の維持にも関係しています。

### ビタミンＫ（脂溶性ビタミン）

このビタミンを多く含む食品の筆頭は納豆ですが、野菜、なかでも緑黄色野菜には多く含まれます。

血液が正常に凝固するために不可欠なビタミンで、反対に凝固を抑制するのにも必要です。

また、カルシウムを骨に取り込む際に必要な働きもしています。

### ビタミンＵ（水溶性ビタミン様物質）

キャベツのしぼり汁から発見された、抗潰瘍《かいよう》因子。胃潰瘍や十二指腸潰瘍の予防に効果があるとされ、製薬にも用いられています。生での利用が有効です。

### ビタミンＣ（水溶性ビタミン）

野菜や果物に豊富に含まれており、現代の日本人は不足なく充分に摂れているとされるビタミンです。

ビタミンＣは、たんぱく質の一種であるコラーゲンの生成に働きます。コラーゲンの役割は、細胞を結合させ、血管や筋肉、皮膚などを丈夫にします。

体内でのたんぱく質や脂質の酸化を防ぐ抗酸化作用が高く、しかもホルモンの生成に関わったり鉄の吸収を促進させたりします。また日焼けによるシミを防ぐともされています。

## ビタミン$B_1$（水溶性ビタミン）

きのこ類や海藻類、豆に含まれますが、豚肉やウナギなどには、さらに豊富。野菜からはあまり期待できないビタミンです。

糖質がエネルギーになるときに必要で、穀物などからも糖質を多く摂る日本人には不足しがちです。体内の疲労物質の燃焼にも関わっていて、神経機能を正常に保つ役割も担っています。

不足すると糖質をエネルギーにかえられず、体脂肪にしてしまいます。また、疲労物質がたまり、疲れやすくもなります。

## ビタミン$B_2$（水溶性ビタミン）

おもにレバーやウナギ、卵、乳製品、納豆などに多く含まれていて、野菜ではモロヘイヤに比較的多く含まれます。

たんぱく質や脂質、炭水化物をエネルギーにかえるときに必要で、とくに脂質の代謝には不可欠です。

また、ビタミン$B_2$は目、皮膚、口の中の粘膜を正常に保つ働きをします。不足すると口角炎や口内炎になったり、肌荒れを起こしたりします。

## 葉酸（水溶性ビタミン）

レバー類に非常に多く含まれるビタミンですが、緑黄色野菜全般にもたくさん含まれています。

葉酸は、ＤＮＡの合成に必要なビタミンです。細胞増殖がさかんな胎児の発育には不可欠なので、妊娠中には不足しないよう、注意が必要です。

また、正常な赤血球を作るのにも関係しているので、貧血予防にも有効です。

# ミネラル

## カルシウム

骨や歯の構成成分として大切なものであることはもちろんですが、生命維持にも欠かせない重要な働きをします。

神経の情報伝達をスムーズにしたり、筋肉の収縮をおこなったりし、さらにホルモンの分泌や血液の凝固作用にも関係しています。

乳・乳製品や小魚に多く含まれますが、小松菜や水菜などの野菜にも含まれ、切り干し大根には豊富に含まれています。

## ナトリウム

ふだんは食塩（塩化ナトリウム）として摂取しています。野菜にはほんの微量しか含まれていません。現在では、不足することはほとんどなく、反対に過剰摂取による体への悪影響が問題になっています。

生命維持に不可欠なミネラルで、細胞の水分の濃度やバランスを保つ役割があります。また、筋肉を動かすため、神経が情報を伝達するためにも不可欠です。

## 亜鉛

魚介類に多く、そのほかには肉やレバーなどに含まれており、野菜にはあまり期待できません。

亜鉛は、体内でさまざまに働く酵素の成分になるものです。また、細胞を生成したり、たんぱく質を合成したりするのに使われます。しかもホルモンを合成したり分泌したりするのにも不可欠で、免疫機能などの働きを保つためにも必要です。

## 鉄

血液中の赤血球の成分のひとつで、赤血球は酸素を全身に運ぶ役割を担っています。そのため、鉄が不

足すると貧血になります。不足しがちなミネラルで、とくに女性や運動している人にとっては重要です。

野菜に含まれる鉄は非ヘム鉄といわれ、動物性食品に含まれるヘム鉄より吸収率が低いものです。ただし、ビタミンCやたんぱく質と組み合わせると、吸収率が高まります。

## 食物繊維

野菜の重要な栄養的特徴のひとつです。水にとける水溶性食物繊維と、とけない不溶性食物繊維に分類されます。

水溶性食物繊維は、血糖値の急な上昇を抑えたり、コレステロールの吸収を抑えたりします。ナトリウムと結びついて排泄を促進するので、血圧を下げる効果もあります。

不溶性食物繊維は、腸を刺激して蠕動《ぜんどう》運動を促進したり、便の量を増加させたりして腸内環境を改善し、便秘や腸の病気を防ぎます。

# 話題の有効成分

## オリゴ糖

糖類の一種で、腸内のビフィズス菌のエサになります。善玉菌と呼ばれるビフィズス菌を増殖させる効果があるため、整腸作用が期待できます。

また、食後の血糖値の上昇がゆるやかになるので、糖尿病の人にもやさしい糖です。商品としても出回っていますが、摂りすぎると下痢を起こすことがあります。

野菜では、ごぼうやたまねぎに多く含まれています。

## ファイトケミカル

植物に含まれる、抗酸化作用の強い物質の総称です。植物が自身にとって有害なものから守るために産生する物質で、わかりやすくいうと色素や香り、苦み、渋みなどです。野菜や果物、豆類などに多く含まれています。

強い抗酸化作用により活性酸素を抑制して老化を防ぎ、しかも血管の酸化を防いで丈夫な血管を作るといわれ、さらに免疫機能を高める作用があるともいわれています。

## カテキン（ファイトケミカル）

緑茶の渋み成分です。

発ガン作用の抑制効果が期待されており、そのほかにもさまざまな作用があります。血液をサラサラにする、血中のコレステロールを減らす、食後の血糖値上昇をゆるやかにする、強い殺菌作用で口臭や虫歯を予防するなどの効果があります。

## ポリフェノール（ファイトケミカル）

植物の色素や渋み、苦みの成分です。ファイトケミカルのひとつでもあります。ブルーベリーやぶどうの赤い色素であるアントシアニン、お茶の苦みのカテキン、大豆に含まれるイソフラボンなどがよく知られています。

強い抗酸化作用が期待できる、うれしい成分です。

## イソフラボン（ファイトケミカル）

大豆に含まれるポリフェノールの一種です。女性ホルモンのエストロゲンに似た作用があるとされ、エストロゲンが減少して起こる更年期障害の予防や改善に効果があるとされています。

## カロテノイド（ファイトケミカル）

野菜や果物に含まれる色素の総称です。にんじんのオレンジ色はβカロテン、トマトの赤色はリコピン、みかんの黄色はクリプトキサンチンと呼ばれるカロテノイドで、ファイトケミカルのひとつです。

強い抗酸化作用があり、ガンを抑制する効果が期待されています。

## ルチン

ビタミン同様の生理作用がある、水溶性のビタミン様物質ビタミンPの中のひとつです。一般にはフラボノイドと呼ばれています。ルチンは、そばに含まれるフラボノイド化合物のことです。

抗酸化作用があり、血管を丈夫にするため、動脈硬化を予防する効果が期待できます。血圧を下げる効果もあり、コラーゲンの合成に関わって皮膚などを健康に保ちます。不足すると出血しやすくなります。

## ペクチン

植物に含まれる水溶性食物繊維、酸や砂糖とともに加熱するとゼリー状に固まります。増粘安定剤として食品添加物に使われます。胃粘膜の保護、整腸、糖分の消化をゆるやかにし、血圧を下げる働きがあります。

# 実を食べる

トマトやなすなど
一般に果菜と呼ばれるものを
中心に集めました。
便宜上、豆類と発芽野菜も
ここに含みました。

# トマト
## 小金瓜、蕃茄
tomato

## リコピンの強い抗酸化作用はガン予防にも

中南米のアンデス高地が原産といわれるトマト。日本に入ったのは17世紀ごろです。食用にされ始めたのは明治時代で、本格的に栽培が始まったのは昭和になってから。

ヨーロッパでは「トマトが赤くなると医者が青くなる」ということわざがあるほど、栄養たっぷり。赤い色はリコピンという成分で、リコピンには有害な活性酸素の働きを抑える強い抗酸化作用があり、ガンや動脈硬化などを予防する効果が高いことがわかっています。

ビタミンC、Aが多く、血圧を下げるカリウム、ルチン、脂肪の代謝を助けるビタミン$B_6$なども含まれています。

### *Data*

**注目の栄養成分**
リコピン、ビタミンC、A、$B_6$、カリウム、ルチン

**エネルギー**
20kcal／100g

**おいしい時期**
6月～9月

**保存**
ビニール袋に入れて冷蔵庫で2～3日。冷やしすぎると味が落ちる

大玉
### 「桃太郎」

果肉がしっかりしていて、熟しても実がくずれないのが特徴。大玉ピンク系トマトとしては、主流の品種。

しっかりとした重みがあり、皮にツヤとハリがあるもの

ヘタや切り口がみずみずしい緑色のもの

縦切り

輪切り

### うまみ成分がたっぷり

トマトのうまみ成分、グルタミン酸は、果肉よりも種のまわりのゼリー部分に多く含まれている。サラダはもちろん、ソースにするときもそのまま入れて。

大きさ

### 中玉

ミディトマトともいわれる。扱いやすいサイズで人気があり、生産量が増えている。

### ミニ

ひと口サイズの小型トマト。プチトマトともいわれる。赤、黄、オレンジ色もある。

品種群

### イタリアン

サンマルツァーノに代表される調理用トマト。果肉が厚く、ゼリー分が少ない。うまみ成分を多く含む。

### 「にたきこま」

プラム型の加熱調理向き品種。煮くずれしにくく、とろみが強くて色も味も濃厚。

### 「こくみラウンド」

桃太郎よりもひとまわり小さい丸型のトマト。しっかりとした果肉は、生食でも調理でも。

### 「ピッコラカナリア」

黄色のミニトマト。高い糖度とカロテンを含むのが特徴。生食で。

### 「ピッコラルージュ」

糖度10前後のミニトマト。濃厚な甘みとコクがあり、とくに生食がおいしい。

### 「シシリアンルージュ」

シシリア生まれの本格的イタリアン食材用トマト。濃厚な味は、加熱調理にも生食にも。

### 「マイクロミニ」

原種トマトに近い改良品種。果実の大きさは直径8～10㎜。そのままソースなどに。

### グリーン

完熟しても赤くならない緑色の品種。リコピンを含まない。サルサソースなどに。

### ブラック

果皮が黒みを帯びたミニトマト。リコピンのほかにアントシアニンも含む。

### 「アイコ」

通常の2倍のリコピンを含む、プラム型ミニトマト。果肉が厚く、調理にも生食にも。

# トマトの選び方

枝について完熟したトマトは、味がよくビタミンCも豊富ですが、店頭に並ぶものの多くは残念ながら日もちを考慮して、緑色が残る状態で収穫されたものです。しかしトマトには追熟といって、収穫後も20℃以上の環境にあれば色づく性質があります。熟した時点で糖度が決まるので、甘みは期待できるでしょう。もちろん、枝についたまま完熟させたもののほうが、栄養価はすぐれています。

店頭ではどれもが赤くなっているので、熟し具合を比較するのは難しいのですが、収穫後に時間がたっているものは、ヘタが乾いていたり、黒ずんだりしています。色づきがよく、実が締まったものを選びましょう。

露地栽培では6月〜9月が旬。ハウス栽培のものには、旬はありません。

料理

## はちみつマリネサラダ

**材料**

トマト…中5〜6個
セロリー…½本
きゅうり…1本
A　りんご酢、オリーブ油…適量
　　はちみつ…適量
　　塩、コショウ…少々

**作り方**

1. トマトは縦に半分に、セロリー、きゅうりはさいころ状に細かくきざむ。
2. Aを合わせて、**1**と和える。2〜3時間おいて、味をなじませる。

## 栽培分布図

冬春トマト（11月〜5月ごろ）の生産は熊本が1位。次いで愛知、栃木、千葉の、合わせて4県で全体の約4割。夏秋トマト（6月〜10月ごろ）は北海道、茨城、福島で約3割を生産する。

## おいしいカレンダー

●旬

| 1 | 2 | 3 | 4 | 5 | 6 | 7 | 8 | 9 | 10 | 11 | 12 |
|---|---|---|---|---|---|---|---|---|---|---|---|
| | | | | | ● | ● | ● | ● | | | |

**冬春トマト**
熊本、愛知、栃木、千葉

**夏秋トマト**
北海道、茨城、福島

ハウス栽培を中心に一年じゅう収穫されている。

## ピンク系と赤系

トマトをサラダ用野菜とする日本人は、「ピンク系トマト」を好んで食しています。世界の品種を見渡すと、大部分は「赤系」。味が濃厚で加熱するとうまみ成分が増すのが、この赤系トマトです。

一方ピンク系は、皮が薄く果肉もやわらかいので、生食には向いていますが、薄味。このピンク系トマトを好むのは、日本人と韓国人だそうです。

欧米では「トマトのあるところに、料理下手はいない」といわれ、赤系トマトのグルタミン酸の量は、野菜の中でもトップクラス。つまり、干ししいたけやこんぶのように、あらゆる料理のうまみのベースになっているわけです。

## フルーツトマトって?

高糖度トマトの呼び名のひとつです。パーフェクトトマト、シュガートマトなどと呼ばれるものがあります。

トマトの野生種が育っていたのは、寒暖差のあるアンデス高地。決して肥よくな大地ではありません。そんな環境に着目して、水や肥料を極端に制限するなどして、充実した果実をつけさせる栽培法があります。樹につけたまま完熟させた果実は、従来のものよりは小さいのですが、1.2～1.5倍の糖度があり、その力強い風味はフルーツに近いのです。

近年では、従来のハウス栽培法でもかなり高糖度の果実が育つように、品種改良が進んでいます。

### 品種群

**「フルーツルビー」**

糖度がとても高いので、ひと口含むと果物のような甘さが広がるのが大きな特徴。

**「フルーツゴールド」**

オレンジ色の中玉トマト。酸味が少なく、高糖度で甘さが際立つ。ビタミンなども豊富。

**「フルーツイエロー」**

黄色いミニトマト。小粒で酸味が少なく、高糖度で皮がやわらかいのが特徴。口に皮が残らず、子どもにも大人気の品種。

## おいしいコツ

### ベーシックなトマトソースの作り方

オリーブ油でにんにくを炒め、香りを移しておく。
湯むきしてざく切りにしたトマトを入れ、30分ほど煮込んでから塩こしょうで味を調える。
これをベースに、たまねぎ、肉、ハーブなどを加えればよりコクが出る。

### 保存法

丸のまま冷凍保存が可能。

取り出して冷水に浸けておくと、皮がつるりとむける。

### 安心への下準備

残留農薬が心配なら湯むきを。加熱調理だけでなく、生食する際も同様に。

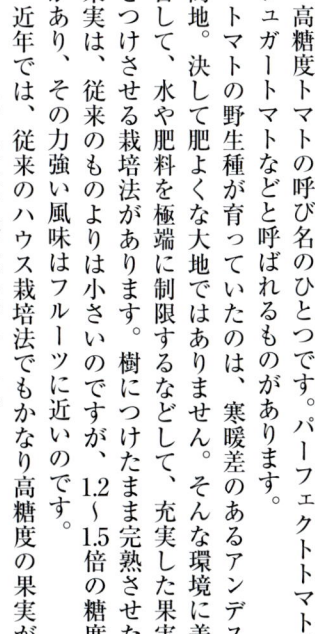

# 加熱するとおいしさアップ

日本ではサラダやつけ合わせとしての利用が多いトマトですが、欧米では加熱調味料的に使われています。

うまみのベースになるグルタミン酸ばかりでなく、トマトの酸味やペクチンが肉・魚類の脂っこさを和らげてくれます。またトマトは、肉や魚のほか野菜、豆、卵など多くの食材と相性がよいのが特徴。

生のものだけでなく水煮の缶づめや、ジュース、ドライトマトも調理に使いましょう。どれも保存性が高く栄養価を保っているので、通年利用できます。

そのうえトマトは、加熱することで甘みやうまみがグッと増します。ビタミンCは減少するものの赤系トマトに多く含まれるリコピンは、加熱することで細胞壁が壊れ、油に溶けやすい性質もあいまって吸収率が3～4倍にアップするといわれています。

## ドライトマトの使い方

ぬるま湯で戻し、やわらかくして使う。塩抜きにもなる。きざんでパスタソースや煮込みなどに。戻したものをハーブといっしょにエキストラバージンオリーブ油に漬け込んでおくと使い勝手がいい。

料理

## トマト入りおでん

**材料**
トマト…中２個
おでん…好みの量

**作り方**
1. トマトは熱湯にくぐらせ、皮をむいておく。
2. よく煮えたおでんに **1** のトマトを入れ、温まったら盛りつける。
トマトはあまり煮込まないほうがおいしい。

## トマトと豚肉のしょうが焼き

**材料**
トマト（なんでも）…適量
豚肉…適量
A　おろししょうが…少々
　　しょう油、みりん、酒…適量
塩、こしょう…少々

**作り方**
1. トマトは半分に切る。豚肉に塩、こしょうで下味をつけておく。
2. 豚肉を炒め、途中でトマトも加え、焼き色をつける。
3. Ａの合わせ調味料を **2** に回しかける。

## ミニトマトのスコッチエッグ風

**材料**
ミニトマト…６個
あいびき肉…150g
たまねぎ…中１個
小麦粉、卵、パン粉…適量
塩、こしょう…少々
サラダ油…適量

**作り方**
1. たまねぎはみじんに切って、きつね色になるまでよく炒める。
2. **1** が冷めたらあいびき肉に加え、塩、こしょうで味をつける。ねばりが出るまでよくこねる。
3. **2** でミニトマトを包み、ボール状に丸める。
4. 衣をつけてから、170℃の油で転がしながら揚げる。

## トマ豚汁

**材料**
トマト…中2個
豚バラ肉…100g
たまねぎ…½ 個
ねぎ…１本
だし汁…３カップ
しょう油…少々
田舎みそ（甘口）…大さじ１ ½

**作り方**
1. トマトは湯むきして、くし形に切る。たまねぎは薄切り、ねぎは５㎝の筒切りにする。豚バラ肉は食べやすい大きさに切っておく。
2. 表面に焼き色がつくまでねぎを炒める。豚バラ肉とたまねぎも軽く炒めておく。
3. 鍋にだし汁を注ぎ、トマトと **2** を入れて煮る。しょう油少々をたらし、仕上げにみそを加え、ひと煮立ちさせてから火を止める。

# 注目の栄養成分、リコピン、カロテン

トマトは発ガン予防に有効とされるビタミンCや、整腸作用のあるペクチン、高血圧に有効なカリウムなどの栄養素を含んでいます。

そして近年注目されているのが、リコピンとカロテンです。

トマトの皮の部分にある、黄色の色素にはカロテンが、赤い色素にはリコピンが含まれています。どちらも、ピンク系より赤系トマトに豊富に含まれています。

リコピンは、カロテンと同じ天然カロテノイドの一種で、活性酸素を除去してくれる抗酸化物質。その能力は、カロテンの2倍、ビタミンEの約100倍といわれています。「抗酸化作用」とは活性酸素の働きを抑える作用のことで、これが「ガンや老化を予防する」という考え方が近年、定着しています。

## 加工用品種

トマトジュースやケチャップなどに加工される、細長い形をしたサンマルツァーノの改良種。完熟で収穫され、その日のうちに工場で加工される。（写真下）

淡色野菜

# なす

## 茄子、茄

eggplant

## 皮の紫色はポリフェノールの一種

原産地はインドで、日本へは8世紀ごろに中国から渡来しました。現在は日本全国で栽培されており、地域により特徴のある品種が栽培されています。

成分は水分が90％以上で、ビタミンやミネラル類はあまり含まれていません。

「なす紺」と呼ばれる紫紺色の皮に含まれる成分は、ナスニンというアントシアニン系色素で、ポリフェノールの一種です。アントシアニンは活性酸素の働きを抑制し、ガン予防のほか、血管をきれいにし、動脈硬化や高血圧を予防する効果もあるといわれています。

アントシアニンのない、青なすや白なすもあります。

切り口がみずみずしく、へたがしっかりし、とげが鋭くとがっているものほど新鮮
皮の色が濃く、ハリとツヤがあり、傷や変色のないものがよい
品種によって身のやわらかさが異なる。鮮度が落ちると種が変色する

### Data

**注目の栄養成分**
ビタミンC、B1、カリウム

**エネルギー**
18kcal／100ｇ

**おいしい時期**
６月〜９月

**保存**
ラップに包み冷蔵庫で3〜4日。冷やしすぎるとちぢむので注意

### なすは体を冷やす？

なすは秋になると皮がやわらかく、実が締まっておいしくなる。「秋なすは嫁に食わすな」のことわざは、いじわるという解釈と体を冷やす野菜なので赤ちゃんを産むお嫁さんを気遣っている、というふたつの解釈がある。

## 品種群

### 「十全」

新潟県の中蒲原郡旧十全村の地名により名づけられた丸い小なす。果肉がやわらかく、浅漬けに最適。

### ゼブラなす

イタリアナスとも呼ばれている西洋種。美しいしまは加熱すると変色する。かためなので加熱向き。

### タイなす

ピンポン玉サイズのミニなす。果肉はとてもかたく、種も多い。カレーなどの煮込み料理向き。

### 白なす

紫の色素（ナスニン）も葉緑素ももたないなす。加熱すると、とろりとした食感になる。

### 青なす

別名緑なす。皮はかためだが加熱すると果肉がやわらかくなるので、田楽や焼きなすにぴったり。

### 赤なす

果肉がややわらかく、種もアクも少ないので、焼きなす向きの大型なす。赤紫色の皮が美しい。

### 小なす

甘みがあり、皮がややわらかく種も少ないので、おもに漬け物用になっている。形の丸いものも。

### 長なす

長さが30㎝ほどもあり、果肉がややわらかいので、焼きなすのほか、炒め物や田楽にも向いている。

### 米なす

アメリカ種を改良した大型の品種で、加熱調理向き。西洋なすのヘタはどれも緑色なのが特徴。

### 「賀茂《かも》なす」

京都上賀茂地域で栽培されている丸なす。肉質は細かくずっしりと重みがある。田楽、揚げ物に。

### 「水なす」

大阪泉州地方（岸和田市）特産のなす。みずみずしくてやわらかく、その漬け物は全国的に有名。

しぼると水がしたたる水なす。昔、農作業中にこのなすでのどを潤したとも。

## おいしいコツ

### ぬか漬けでビタミン、カリウムが2倍に

ぬか床にはカロテン、ビタミンB1、B2、カルシウム、カリウム、ナイアシン、食物繊維などが含まれているため、栄養価が高まる。

### 焼きなすは保存がきく

焼きなすの皮をむいてラップに包み、冷凍保存を。炒め物や汁物の具として重宝する。保存の目安は1か月。

### 干しなす

ザルに並べ天日で干すと、2～3時間の半干しでも驚くほどうまみがアップする。水分をすっかりとばして乾物になったら、長期保存も可能。乾物のなすは、水で戻してから煮物や汁物の具などに。

## 栽培分布図

冬春ものは高知、熊本、福岡産、夏秋ものは茨城、栃木、群馬産が多く出回る。

## おいしいカレンダー

●旬

1　2　3　4　5　6　7　8　9　10　11　12

**冬春なす**
高知、熊本、福岡

**夏秋なす**
茨城、栃木、群馬

地域ごとに特徴のある品種が栽培されている。

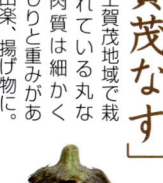

# きゅうり
## 胡瓜
cucumber

## カリウムの効果でむくみの改善も

原産地はインドのヒマラヤで、栽培の歴史は3000年前にさかのぼります。日本には6世紀後半に中国から伝えられましたが、本格的に栽培されるようになったのは江戸時代から。

語源は「黄瓜（きうり）」で、ふだん食べている緑色のものは、黄色く熟れる前の未熟果です。

成分の約95％は水分で、ビタミンCやカリウムが含まれています。カリウムには利尿作用があり、むくみやだるさの解消に効果があります。

ビタミンCを壊すアスコルビナーゼという酵素が含まれていますが、酸がこの働きを抑えるので、サラダや和え物などには酢を使うといいでしょう。

**Data**

**注目の栄養成分**
ビタミンC、カリウム、カロテン
**エネルギー**
13kcal／100g
**おいしい時期**
5月～8月
**保存**
乾燥と低温が苦手。ビニール袋に入れて冷蔵庫で2～3日

### 食感も味も新鮮さが命

成分のほとんどが水分なので、時間がたって蒸発すると味も食感も極端に落ちる。もぎたてのみずみずしさが命なので、新鮮なうちに食べるのがベスト。冷やしすぎは禁物。

痛そうなほどイボがとがっているものが新鮮だが、ない品種も出てきている

切り口が黒ずんでいないものがよい。ヘタを切ってこすることでアクが抜ける

### ブルーム

ブルームとはきゅうりが表皮を保護するために自ら出す白い粉のこと。光沢がなく農薬と間違われることもあり、人気がなくなった。

### ブルームレス

ブルームを出さない性質のカボチャの台木にきゅうりの若芽を接ぎ木して作られたもの。皮はかためだが、日もちはいい。現在主流となっている。

品種群

### 「四《し》川《せん》」

表面がちりめん状で、歯ごたえがよい。中国系「四葉」の改良種。

### 「加賀太」

石川県特産の大型品種。直径は10㎝にもなる。果肉はかたく煮物にも。

### 「フリーダム」

イボなしのつるつるとした品種。青臭さがなく、さわやかな食味。

### もろきゅう

若採りした小型きゅうり。もろみをつけて食べることからこう呼ばれている。

# サラダ以外のおすすめ調理法

サラダや酢の物など、生で食べることが多いようですが、炒め物にすると違った食感が楽しめます。また、きゅうり自体が淡泊なので濃いめの味つけがよく合います。たくさん手に入ったときはピクルス漬けを作りましょう。酢、砂糖、水、好みのスパイスを煮たてて冷まし、そこに軽く塩もみしたきゅうりを漬け込みます。半日ほどおくと食べられます。

料理

## きゅうりの豚キムチ炒め

**材料**

きゅうり…2本
豚肉…100g
キムチ…適量
ごま油…適量
塩、こしょう、
しょう油、みりん…少々

**作り方**

1. 塩、こしょうをした豚肉を、ごま油で炒める。
2. 肉に火が通ったらキムチを加え、しょう油、みりんで味を調える。
   キムチの辛さに合わせて、味つけは調整すること。
3. 長さ５㎝ほどの拍子木切りにしたきゅうりを加え、手早く炒める。
   きゅうりを炒めすぎないのがポイント。

## おいしいコツ

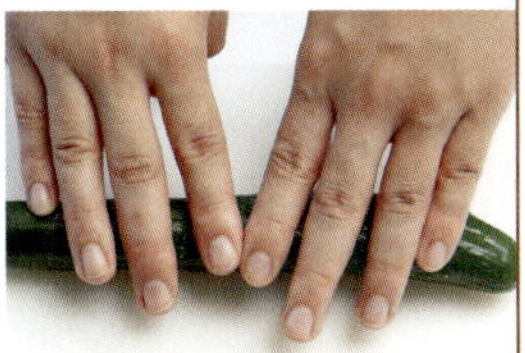

### えぐみは板ずりで取る

軽く塩をふり、まな板の上で転がすとイボが取れ、色がきれいに。えぐみも取れる。

### 安心への下準備

板ずりは不安物質の軽減にも効果的。

### 美容にもうれしいこんな利用法

すりおろしたきゅうりをガーゼに包み、顔にポンポンとあてて化粧水代わりに。火照りを抑え、水分を補ってくれる。やけどにも効果がある。

### ヨーグルトサラダ

きゅうりは1㎝くらいの輪切りに。無糖のヨーグルトにクミンシードを混ぜ、塩で味を調えてから和えるだけで、簡単さっぱりサラダのできあがり。

## 栽培分布図

冬春ものは宮崎、群馬、埼玉産、夏秋ものは福島、群馬、岩手産が多く出回る。

## おいしいカレンダー

●旬

1　2　3　4　●5　●6　●7　●8　9　10　11　12

**冬春きゅうり**（5～6月）
宮崎、群馬、埼玉

**夏秋きゅうり**（7～8月）
福島、群馬、岩手

冬春きゅうりは、おもにハウスで栽培されている。

緑黄色野菜

# ピーマン

sweet pepper, bell pepper

## 熱に強いビタミンCがたっぷり

ピーマンは唐辛子の仲間。中南米原産の唐辛子がコロンブスによってヨーロッパに伝わり、辛みのない唐辛子を改良して誕生しました。

日本で栽培が始まったのは明治時代で、一般に食べられるようになったのは戦後のことです。

栄養価は抜群で、ビタミンCの含有量はトマトの約4倍。カロテン、ビタミンE、カリウムなども多く含まれています。独特の苦みやにおいが苦手な人は加熱することで軽減できます。

近年注目されているのは、においの成分であるピラジン。血をサラサラにして血栓や血液凝固を防ぐため、脳梗塞や心筋梗塞の予防にも効果があるといわれています。

切り口が新鮮で変色していないものがよい

鮮やかな緑で、皮にピンとしたハリとツヤがあるもの

フカフカせず、つややかで締まっているもの

肉厚で、やわらかく弾力があるものがベスト

### Data

**注目の栄養成分**

ビタミンC、A、E、P、カロテン、カリウム

**エネルギー**

20kcal／100g

**おいしい時期**

6月～9月（栽培日数のかかる春ものもおいしい）

**保存**

傷みの原因となる水気は厳禁。ビニール袋に入れて冷蔵庫で1週間

### 品種改良で苦みを軽減

最近のピーマンは品種改良によって苦みや独特の青臭さが軽減されているので、サラダなどで生食するのもおすすめ。ビタミンCがたっぷり摂れる。

品種群

### 「甘辛」

バナナ型ピーマン。通常の緑ピーマンに比べるとクセがなく、苦手な人にも食べやすい。

### 「クレセント」

バナナ型ピーマンの完熟タイプ。甘みがあり、見た目がきれいなので、生食で。

### 赤ピーマン

緑ピーマンを完熟させたもの。青臭さがなく、甘みがある。果肉はパプリカより薄い。

# 赤くなっていたら完熟の証し

緑色のピーマンは未熟果で、緑から赤になるまで約7週間ほどかかります。この過程で赤の色素であるカプサンチンが増えます。カプサンチンには抗酸化作用があり、動脈硬化やガンをはじめ、生活習慣病の予防に効果があるといわれています。また、緑色のピーマンと比べ、ビタミンCは約2倍、カロテンは約3倍にもなるそうです。独特の青臭さが減り、甘みが増すのでピーマン嫌いの子どもにもおすすめです。

袋入りのピーマンを買うと写真のように変色しかけているものが混じっていることがある。
これは枝で熟して、甘みが出てきた証拠。

「ピーマンに無駄花はない」といわれるほど、よく実をつける野菜。 高温を好み、日中の気温が 20 ～ 30℃だとグングン生長し、露地栽培では 10 月いっぱいは収穫できる。冬から春に出回るピーマンは、温暖な高知や宮崎でハウス栽培されているものが多く、夏場は茨城や岩手産が多く並ぶ。

料理

## ピーマンのみそ炒め

**材料**
ピーマン…3個
みそ、みりん、油…適量
ごま…少々

**作り方**
1. 細切りにしたピーマンを油で炒める。
2. みそをみりんで伸ばし、ピーマンにからめて、味をなじませる。
3. 仕上げにごまをふる。

## おいしいコツ

縦切り

横切り

### 切り方の違い

ピーマンの細胞は縦方向に並んでいる。細胞を壊すように横切りするとピーマン独特の青臭さが立つので、苦手な方は縦切りにしたもので調理を。

### 油炒めにするとカロテンの吸収促進

ピーマンにたっぷり含まれるカロテンは、油との相性が抜群。油で炒めると体内吸収が高まるばかりか、かさが減るので量もたくさん摂れるというわけ。カロテンには免疫力を高める働きがある。

### 冷凍保存は軽く塩ゆでを

きざんでかために塩ゆでしたピーマンは冷凍保存に。下ゆでしてあるので調理の仕上がりが早く、とても重宝する。保存の目安は1か月くらい。

## 栽培分布図

冬春ピーマンは、宮崎と茨城、高知で約8割を生産。茨城、岩手は一年を通して生産量が多い。

## おいしいカレンダー

●旬

1 2 3 4 5 ❻ ❼ ❽ ❾ 10 11 12

冬春ピーマン　宮崎、茨城、高知

茨城、岩手

緑黄色野菜

# パプリカ

sweet pepper, paprika

## ビタミンCに加え カロテンもたっぷり

パプリカとは唐辛子の総称ですが、スーパーなどで見かけるものは、いわば大型（100g以上）で肉厚のピーマン。色は緑、赤、黄、オレンジ、紫、黒、白があり、オランダ、韓国、ニュージーランドなどから多く輸入されています。

ふつうの緑色のピーマンに比べ、肉厚でジューシーな食感があり、甘くさわやかな味わい。サラダなどの生食はもちろん、煮込み料理や焼いて皮をむきマリネにするなど、とくに南欧料理には欠かせない野菜です。

ビタミンC、E、A、カリウムなどが豊富で、ピーマンと比べてもビタミンCは約2倍、カロテンは約3倍もあり、油を使うと吸収率が高まります。

**Data**

**注目の栄養成分**
ビタミンC、E、A、カリウム、カロテン

**エネルギー**
赤色：28kcal／100g
黄色：28kcal／100g

**おいしい時期**
7月〜10月

**保存**
ビニール袋に入れて冷蔵庫の野菜室で1週間

果柄が緑で切り口が新しく、ハリとツヤのあるものがよい

緑の幼果は完熟すると赤や黄、オレンジになる。紫や白などは未熟果のままを利用するもの

肉厚でやわらかく、みずみずしいものがよい。皮にしわがあるものは鮮度が落ちている

### スパイスのパプリカは？

ハンガリー料理やカレーに使われる赤いスパイスがパプリカ。ハンガリーで品種改良された辛みのないチリペッパーの果実の乾燥粉末で、おもに色づけに使われている。食用にされている野菜のパプリカは、スパイス用とは違う品種を改良したもの。

### 皮のむき方

丸ごと焼き、焦げ目をつけたパプリカをポリ袋に入れて少し蒸らすと、皮がむきやすくなる。マリネにするとおしゃれな前菜に。

おいしいポイント　健康に効く　クッキングのコツ　安心のために

# ししとうがらし

## 獅子唐辛子

sweet pepper

## 「辛みのない唐辛子」の仲間

南米原産の唐辛子は、辛み種と辛みのない甘み種に分類されますが、ししとうがらし（ししとう）は甘み種の唐辛子の仲間。先端が獅子の口に似ていることから、この名前がつきました。

栄養成分はピーマンとほぼ同様で、免疫機能を高め、疲労回復に効果のあるビタミンCをはじめビタミン類、カロテンを豊富に含んでいます。焼く、煮る、揚げるなどさまざまな調理法がありますが、ビタミンの損失を防ぎ、おいしく仕上げるには強めの火加減でサッと加熱するのがポイント。

カロテンは油で調理すると吸収率がアップするので、素揚げや天ぷら、油炒めなどがおすすめです。

ヘタを含め全体的に緑が鮮やかで、ハリとツヤのあるものが新鮮

先端がくぼみ、獅子の口のように見える

### Data

**注目の栄養成分**
ビタミンC、ビタミンA、ビタミンE、カロテン、カリウム

**エネルギー**
25kcal／100ｇ

**おいしい時期**
6月～8月

**保存**
ビニール袋に入れて冷蔵庫で１週間程度

料理

## ししとうのじゃこ炒め

**材料**
ししとう…１パック（20本程度）
ちりめんじゃこ…適量
しょう油、みりん、酒、油…適量

**作り方**
1. ししとうはへたを取り、竹串で穴をあけておく。
2. ししとうを油で炒め、しんなりとしたらじゃこを加える。
3. しょう油、みりん、酒で味をつける。

## 破裂させないように小さな穴を

調理する前に竹串や包丁で小さな穴をいくつかあけておくこと。これは加熱したときにふくらむ実が、破裂するのを防ぐため。

品種群

### 「伏見甘長《ふしみあまなが》」

京都特産の辛みのない唐辛子。細長く、果長は10㎝ほど。

### 「万願寺唐辛子」

京都特産の辛みのない唐辛子。大型で果肉は厚め。万願寺は地名。

# とうがらし
## 唐辛子
chili pepper,green pepper,red pepper

## カプサイシンのパワーで代謝をアップ

中南米で栽培されていた唐辛子は、コロンブスがスペインに持ち帰ったことから世界じゅうに広まり、日本には16世紀にポルトガル人によってもたらされました。

世界の人々を引きつけるその辛さは、カプサイシンという成分にあります。カプサイシンは、脳の中枢神経を刺激してエネルギー代謝を促進し、体脂肪を分解するので、肥満防止に効果があります。また、血流がよくなって、体が温まる、胃液の分泌を促して消化吸収を助ける、といった効果もあります。

ビタミンCやカロテンも豊富で、毎日の食卓に上げたい野菜のひとつです。

完熟した赤唐辛子は栄養価とともに辛みもアップしている。

未熟な青唐辛子はビタミンCやカロテンの宝庫。保存は冷蔵庫に。

風通しのよいところにつるして乾燥させる

赤唐辛子。色が鮮やかでツヤとハリのあるものがよい

### Data

**注目の栄養成分**
カプサイシン、ビタミンC、カロテン

**エネルギー**
72kcal／100g

**おいしい時期**
青唐辛子：7月～9月
赤唐辛子：8月～10月

**保存**
ビニール袋に入れて冷蔵庫に保存。乾燥させて密閉容器に入れても

### 唐辛子を使った民間療法

カプサイシンには血液の流れをよくする働きがある。洗面器にお湯を張り、ちぎった唐辛子を入れ足湯にすると、血行がよくなり、むくみが解消する。ガーゼでくるんだ唐辛子を靴やスリッパの中に入れておくと足先がぽかぽかし、しもやけの予防にも。また、米びつに入れておくと虫よけになる。

### 葉唐辛子

葉と若い実を枝からはずしてサッとゆで、しょう油とみりんでいりつけると、おいしい佃煮に。

世界の唐辛子

おいしいコツ

### オイル漬け

果肉の厚い唐辛子は乾燥させるのが難しいので、フレッシュなうちにオイル漬けに。

### メキシコの乾燥唐辛子

左からアンチョ、ウアヒージョ、パスィージャ。どれもうまみが強いので、よいだしが取れる。

### いろいろな唐辛子商品

上段左から、こーれーぐーす（沖縄）、サドンデスソース（コスタリカ）、タバスコ（アメリカ）、四川豆板醤（中国）、下段チポトレ（メキシコ）。

## 「プリッキーヌ」

タイ原産。小さいが辛さは強烈。

## 「アヒ・チーノ」

ペルー原産。炒め物やスープ、煮込み料理に。

## 「ハバネロ」

メキシコ原産。もっとも辛いといわれている唐辛子。スナック菓子などにもなっている。

## 韓国唐辛子

キムチやチゲに。青いものはみそ漬けにも。

## 「ハラペーニョ」

メキシコ原産。肉厚で香りがフルーティ。サルサソースに。

## 「アヒ・リモ」

ペルー原産。サルサソースに。

## 島唐辛子

沖縄原産。泡盛に漬けた「こーれーぐーす」は沖縄料理の必需品。

## 京伏見辛

京都特産の細長い唐辛子。煮物、焼き物、揚げ物に。

## 唐辛子のスパイスオイル

料理

**材 料**

唐辛子（生でも乾燥ものでも）…2～3本
にんにく、しょうが、ごま…小さじ各1
クミン、コリアンダー、
オールスパイスなど…適量
サラダ油…カップ½
ごま油…カップ½

＊スパイスはわざわざそろえる必要はなく、手持ちのものを使えばよい。

**作り方**

1. サラダ油とごま油を同量ずつ鍋に入れ、弱火にかける。
2. 唐辛子、にんにく、しょうが、ごま、各種スパイスを入れ、30分ほど加熱して香りを移す。
3. 充分に冷めてから、びんに移す。

＊炒め物や麺類、ドレッシングの風味づけなど幅広く使える。

## 栽培分布図

輸入されている唐辛子の約90%は中国産。国産では、茨城、栃木で多く生産されている。

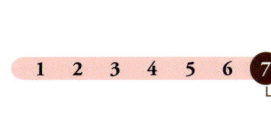

## おいしいカレンダー

赤唐辛子：8～10月
青唐辛子：7～8月
●旬

1 2 3 4 5 6 7 8 9 10 11 12

緑黄色野菜

# かぼちゃ

南瓜

pumpkin,squash

## 冷えから体を守る女性の味方

大別すると日本かぼちゃ、西洋かぼちゃ、ペポかぼちゃの3種類になります。日本かぼちゃのルーツは、16世紀に渡来した中央アメリカ原産のもの。西洋かぼちゃは南アメリカ原産で、日本では明治時代に栽培が始まりました。

栄養価と人気は西洋かぼちゃに軍配が上がりますが、いずれにしても栄養価の高さは野菜の中でもトップクラス。カロテン、カリウム、ビタミンC、$B_1$、$B_2$、E、カルシウム、鉄などが含まれ、なかでも豊富なのがカロテン。肌や粘膜、目を丈夫にし、免疫力を高めます。

ビタミンEは血行を促進し体を温めるので、冷え性の緩和に効果があります。

### Data

**注目の栄養成分**
カロテン、カリウム、ビタミンC、$B_1$、$B_2$、E、カルシウム、鉄

**エネルギー**
日本：41kcal／100g
西洋：78kcal／100g

**おいしい時期**
国産：5月～9月
輸入：11月～3月

**保存**
丸のままなら冷暗所で1～2か月程度保存可

ヘタは枯れて乾き、まわりがくぼんでいるものが完熟している

皮にツヤがあってかたく、しっかりと重みのあるものがよい

種がしっかりとつまっていて、果肉の色が鮮やかなもの

### 貯蔵、加熱にも強い

カットしていなければ、長期間栄養素を損なわずに保存できる。また、加熱してもビタミンCの損失が少ない。皮には実以上のカロテンが含まれているので〝調理は皮ごと〟がポイント。

### 安心への下準備

ポストハーベストが気になる輸入ものは、皮の表面をたわしでよく洗うこと。

### 栽培分布図

北海道が全体の約50%を占める。鹿児島、茨城などでも生産している。

### おいしいカレンダー

●旬

1 2 3 4 **5 6 7 8 9** 10 11 12

1～3月：輸入が多い
5～9月：北海道、鹿児島、茨城
11～12月：冬に鹿児島産の抑制栽培かぼちゃも出回る。

品種群

## 「宿儺《すくな》」

飛騨高山の丹生川地域特産で、最近復活した品種。果長は40cmほど。皮が薄く扱いやすい。

## 「坊ちゃん」

果重が500gほどの小型かぼちゃ。粉質で味がよく、カロテン含有量がとくに多い。丸のままレンジで7～8分加熱すると調理が楽。

## 「黒皮栗」

えびすかぼちゃともいわれる代表的な西洋種。果肉はホクホクとした粉質系で、甘みがある。

## 「鹿ヶ谷《ししがたに》」

京都特産の日本かぼちゃ。ちりめん状の表皮とユニークな形が特徴的。粘質で水分が多く、煮物向き。

## 「打木赤皮甘栗《うつぎあかがわあまぐり》」

加賀野菜として人気のかぼちゃで、果肉は鮮やかなだいだい色。水分が多くねっとりとしていて、煮物向き。

## 「黒皮かぼちゃ」(日向かぼちゃ)

日本かぼちゃの代表種。皮がゴツゴツとしていて、甘さは控えめ。皮は熟すと赤くなる。

## 「バターナッツ」

ひょうたんのような形とクリーム色の表皮がユニーク。皮は薄く扱いやすい。甘みが強く実はねっとり。

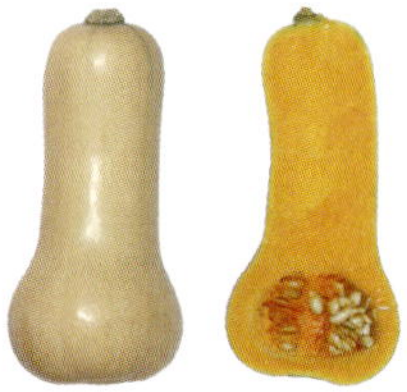

## 「白皮栗」

メロンにも似た薄緑色の皮が特徴。強い粉質で、そのホクホク感は他を圧倒している。日もちがする。

## ペポ

おもちゃかぼちゃとも呼ばれる観賞用かぼちゃ。色や形のバリエーションが豊か。

## 「プッチィーニ」

果重が200～300gのミニかぼちゃ。甘みが強く、レンジで加熱するだけで食べられる。

## かぼちゃは3タイプ

国内で作られているものは日本かぼちゃ、西洋かぼちゃ、ペポかぼちゃの3タイプがあります。16世紀に初めて九州に伝わったのが、東洋種です。高温を好み、ゴツゴツとした表皮とやや粘質な果肉が特徴の東洋種には京都の鹿ヶ谷、菊座や黒皮といった品種があります。

一方、19世紀後半から北海道を中心に広まっていったのが西洋種。東洋種に比べ甘みがあり、ホクホクとした食感のこのかぼちゃは、比較的冷涼な気候を好みます。たくさんの品種が改良され、現在流通しているものの9割近くが西洋かぼちゃです。

形も味もユニークなペポかぼちゃには、ズッキーニやそうめんかぼちゃ、観賞用のものなどがあります。

## 追熟しておいしくなる

収穫期は夏から初秋にかけて。冬至にかぼちゃを食べるという習慣があるように、たいへん貯蔵性が高い野菜です。収穫後、10℃前後で風通しのよいところに丸のままおいておくと、追熟していきます。水分が抜け甘みが増し、栄養価も高まります。

抵抗力を高める働きのあるカロテンを、たっぷり含んだかぼちゃを冬に食べると、風邪予防にもなるというわけです。

### 種とわたを取って

保存は傷みやすい種の部分をくり抜き、ラップして冷蔵庫へ。

### 熱いうちにつぶし冷凍

果肉を加熱したら熱いうちにつぶし、冷めたら冷凍を。コロッケやデザートに。

### 種子を食べよう

かぼちゃの種子には、果肉の5倍ものカロテンのほか動脈硬化予防に効くといわれるリノール酸も含む。漢方では「南瓜仁」という。

### ユニークなそうめんかぼちゃ

「金糸瓜」ともいわれるこのかぼちゃは、ペポの一種。果肉が繊維状になっているので、切ってゆでるとパラパラとほどけ、まるで麺のようになる。シャリシャリしているので三杯酢で和えると涼しげな一品に。欧米ではスパゲッティ・スクァッシュ（かぼちゃ類の意味）と呼ばれ、ほぐした実にソースやドレッシングをからめて食べるとか。

料理

### かぼちゃのそぼろ煮

**材料**

かぼちゃ…¼個
鶏ひき肉…100g
しょうが…少々
しょう油、みりん、酒、油…適量
水溶きかたくり粉…適量

**作り方**

1. ひと口大に切ったかぼちゃをレンジにかけ、やわらかくしておく。
ひき肉とおろししょうがを油で炒める。水を入れてひと煮立ちさせる。
2. **1** のかぼちゃを加え、しょう油、みりん、酒を入れて、かぼちゃがやわらかくなるまで煮る。水溶きかたくり粉でとろみをつける。

淡色野菜

# ズッキーニ

zucchini,courgettes

## クセがなく低カロリーな野菜

一見、きゅうりのようにも見えますが、ペポかぼちゃの仲間です。完熟してから食べるほかのかぼちゃと違い、ズッキーニは開花後5～7日の未熟果を食べます。

味はほのかな甘みがあり、淡泊。アメリカ南部やメキシコが原産ですが、イタリアやフランスなどヨーロッパで人気があり、フライや煮込み料理などに使われています。

カロテンやビタミンCが豊富で、風邪の予防や美肌に効果があり低カロリー。オリーブ油など油との相性もよく、いっしょに食べることでカロテンの吸収率も一段とアップ。

日本でも80年代に栽培が始まり、年々人気が高まっています。

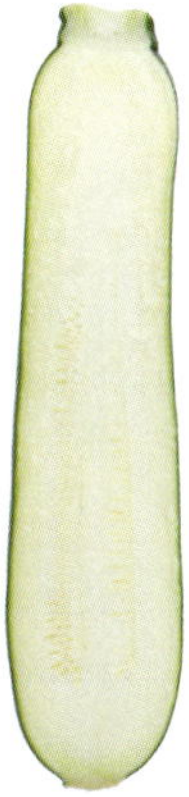
未熟果なので種はない。中はしっとりとして、みずみずしいものがおいしい

太すぎず、皮にハリとツヤがあって、なめらかなものがよい
ヘタの切り口がみずみずしいものが新鮮

### Data

**注目の栄養成分**
カロテン、ビタミンC、亜鉛

**エネルギー**
16kcal／100g

**おいしい時期**
6月～8月

**保存**
ビニール袋に入れ、冷蔵庫で3～4日

### 花を食べる

イタリア料理ではズッキーニの花の中にチーズや肉をつめて、揚げたり蒸したりして食べる。

料理

### ズッキーニのマヨネーズ焼き

**材料**
ズッキーニ…1本
マヨネーズ、しょう油…適量
削り節…少々

**作り方**
1. ズッキーニは薄切りにし、両面に焼き色がつく程度に炒める。
2. しょう油少々をふり、マヨネーズを加えてサッとからめる。
3. 皿に盛り、削り節をかける。

品種群

ゴルフボールサイズのかわいい丸形。その形を活かしてつめ物をし、加熱するとおいしさも倍増。レストランでの人気が高く、一般流通ではなかなか見かけないのが残念。

薄黄緑　緑　黄色

ポピュラーな緑色種のほか、黄色のイエロー種、濃緑のブラック種、さらに薄黄緑種もある。色による味の違いはほとんどない。

薄黄緑　黄色　濃緑

# にがうり（ゴーヤ）

## 苦瓜 bitter melon

### 肝機能を高め血糖値の改善も

ゴーヤ、ツルレイシとも呼ばれるにがうりは、熱帯アジア原産。日本では沖縄や九州南部などで栽培されています。

熟す前の未熟果を食べますが、独特の苦みがあるのが特徴。この苦み成分はモモルデシンといい、胃液の分泌を促して食欲を増進させるだけでなく、肝機能を高め、血糖値の降下にも効果があるといわれています。

ビタミンC、カリウム、カルシウム、マグネシウムなども豊富で、夏バテ解消にはうってつけの野菜といえます。にがうりのビタミンCは加熱しても壊れにくいので、肉や卵などのたんぱく質とともに炒めたり、天ぷらにしたりするなど、いろいろな調理法が楽しめます。

全体的に鮮やかな緑色で黄色く変色しておらず、重みもあるもの

イボにツヤがあり、しっかりしているもの。黒ずんだり、つぶれたりしていないもの

**Data**

**注目の栄養成分**
モモルデシン、ビタミンC、カリウム、カルシウム、マグネシウム

**エネルギー**
15kcal／100g

**おいしい時期**
6月～9月

**保存**
ビニール袋に入れて2日程度、使いかけはラップに包んで冷蔵庫へ

#### 品種群

##### 白ゴーヤ

サラダゴーヤとも呼ばれる。イボが丸く苦みが少ないので、生食にも向いている。果長は15㎝ほど。

##### なめらかゴーヤ

果皮のイボがなく、すべすべなにがうり。苦みも少ない。果長はやや長めで25㎝ほど。

##### 赤くなった種

熟すとオレンジ色になり、中から真っ赤な果肉に包まれた種があらわれる。この赤い果肉はとても甘く、以前は水菓子代わりに食べられていた。洗って乾かした種子は、いって食べると強壮効果があるといわれている。

# にがうりジュースは飲みやすく作ろう

たっぷり含まれるビタミンCは、シミやソバカスの元となるメラニン色素の生成を予防するほか、肌にハリや弾力を与えるコラーゲンの生成にも欠かせません。苦み成分のもつ抗酸化作用とあわせ、夏バテを乗り切るためにもジュースにしてはいかがでしょうか。

細かくきざんだにがうりに、りんごジュースを加えてミキサーにかけます。甘みが足らなければ、はちみつで調整を。にがうり＋バナナ＋牛乳＋はちみつも、飲みやすい組み合わせです。

## おいしいコツ

### スプーンでくり抜く

苦みの強い種とわたの部分はくり抜く。保存する場合も、わたを取ってラップを。

### 塩もみ

苦みを取るためには、軽く塩もみするか熱湯をかける、あるいはサッとゆでる。

### 決め手はかつお風味

沖縄のゴーヤチャンプルーの味つけはしょう油とかつおだし。鹿児島の郷土料理「ゴーヤおかか」は熱湯をサッとかけた薄切りのにがうりに薄口しょう油をかけ、削り立ての削り節をたっぷりかけたもの。どちらの料理もかつおのうまみが、にがうりの苦みを食べやすくしてくれる。

料理

## にがうりうな丼

**材料**

にがうり…1本
うなぎの蒲焼き(タレも)、ご飯…各1人前
酒、さんしょう…少々
ごま油…適量

**作り方**

1. にがうりは3㎜程度の薄切りに、蒲焼きは3㎝幅のざく切りにする。
2. ごま油でにがうりを炒め、焼き色がついたら蒲焼きを加える。
3. 酒少々でのばしたうなぎのタレを回し入れ、味をからめたら、ご飯の上に盛りつける。
好みでさんしょうをかける。

近ごろは家庭や学校でのにがうり栽培がさかん。生長を観察し、その収穫を楽しむのはもちろんだが、建物の緑化により室内や地面の温度上昇を抑える働きもあり、エコライフにひと役買っている。

## 栽培分布図

沖縄、宮崎、鹿児島など南西部のほか、群馬などでも生産されている。

## おいしいカレンダー

●旬

| 1 | 2 | 3 | 4 | 5 | 6 | 7 | 8 | 9 | 10 | 11 | 12 |
|---|---|---|---|---|---|---|---|---|---|---|---|
| | | | | | ● | ● | ● | ● | | | |

6〜9：沖縄、宮崎、鹿児島、群馬

スイートコーン

# とうもろこし

玉蜀黍

sweet corn

## 栄養価が高く食物繊維の宝庫

中央アメリカ原産のとうもろこしは、米、小麦と並ぶ世界三大穀物のひとつ。コロンブスがヨーロッパに持ち帰り、世界各地で栽培されるようになりました。日本に渡来したのは16世紀ですが、明治時代の北海道開拓を機に本格的な栽培が始まりました。

野菜の中では高カロリーで、糖質、たんぱく質が主成分。胚芽の部分に、ビタミンE、$B_1$、$B_2$、カリウム、亜鉛、鉄などの栄養素がつまっています。また、セルロースが多く、食物繊維が豊富なので、腸をきれいにする効果もあります。

収穫後24時間たつと栄養が半減し、味も落ちます。新鮮なうちに食べましょう。

### 品種群

**ウッディーコーン**
実が黄色、白、紫、の3色スイートコーン。もちもちした食感が特徴。

**シルバー系**
ツヤのよい白粒種。粒は小ぶりだが、やわらかく甘みも強い。

**ベビーコーン**
ヤングコーンとも呼ばれる。生食用品種を若採りしたもの。

＊日本で食べられているものの主流は、スイートコーンという甘みの強い品種です。黄色と白の粒が混じったバイカラー品種も人気。

皮の色が濃い緑のもの。ひげが褐色ならよく熟している

実が先までつまっていて、ふっくらツヤツヤしているもの

**「ハニーバンタム」**
甘み種スイートコーンの代表品種。ゴールドコーンとも呼ばれる。

### Data

**注目の栄養成分**
糖質、たんぱく質、ビタミンE、$B_1$、$B_2$、カリウム、亜鉛、鉄

**エネルギー**
89kcal／100g

**おいしい時期**
6月～9月

**保存**
ゆでてからラップに包み、冷蔵庫で2～3日

### ひげの効能

ひげ部分はめしべの花柱で、その本数は実の数と一致する。漢方では「南蛮毛」と呼ばれ、利尿作用や血圧降下作用があるといわれている。

### 早朝に収穫

スイートコーンは気温の変化に敏感。高温になると糖分がエネルギーとして使われ、甘みが落ちてしまう。それゆえ収穫は早朝に行われ、即日出荷されている。

# 油、燃料、建材などにもなり無駄がない

とうもろこしにはそのまま食べる以外にも、さまざまな用途があります。飼料やサラダ油はいうまでもなく、でんぷんから作られるコーンスターチは製紙や繊維ののりづけなどに利用されています。でんぷんを発酵させて作られるエタノールはバイオ燃料に使われていますし、同じくでんぷんから作られるポリ乳酸は分解できる植物性プラスチックの原料として注目されています。さらに、収穫後の葉や茎は堆肥に、実をはずした軸は建材やきのこ栽培の用土になります。

　このように、地球環境保護の面からもたいへん重要なとうもろこしの生産量を確保するために、病害虫に強くなるよう遺伝子を組み換えた品種が大規模に作られているのは、なんとも皮肉なことです。

### 缶づめも利用しよう

栄養の面から見ると生でも缶づめでもかわりはない。ただし塩分は多めなので、要注意。

### 粒の根元は栄養豊富

胚芽の部分にはリノール酸、ビタミン$B_1$、$B_2$、E、食物繊維、鉄、亜鉛といった栄養が多く含まれている。ナイフなどで実をこそぎ落とすと、せっかくの部分を無駄にすることになるので、はずすときはていねいに。

料理

## スイートコーンのリゾット

**材料**

ホールコーンの缶づめ…1缶
牛乳…300cc
バター…適量
ご飯…茶わん1杯ぶん
塩、こしょう…少々

**作り方**

1. ご飯をバターで炒めておく。
2. コーンと牛乳を別の鍋に入れ、コーンをつぶしながら弱火で煮る。
3. 全体がとろとろになったら、炒めたご飯を加え、軽く火を通し、塩、こしょうで味を調える。

## おいしいコツ

### 水からゆでる

水からゆで、沸騰してから3分で火を止め、ザルに取り、あとは余熱で仕上げる。みずみずしいのに歯ごたえが残り、粒のハリが失われない、プリプリの状態が保てる。3日以内に食べること。

### 熱いうちにラップ

ゆでたての熱いうちにラップで包むと、粒にしわが寄らずきれいに保存できる。

### 輪切りで冷凍

冷凍保存する場合は、ゆでたものを3cm程度の輪切りにして密封袋に。

### ポップコーン用

爆裂種（あるいは爆粒種）を用いる。加熱すると粒の中の微量な水分が爆発し、破裂する。

## 栽培分布図

北海道で全体の約40%を生産するほか、千葉、茨城、長野、群馬、山梨などでおもに生産されている。

## おいしいカレンダー

●旬

1　2　3　4　5　**6　7　8　9**　10　11　12

北海道、千葉、茨城、長野、群馬、山梨

緑黄色野菜

# オクラ

## 秋葵 okra

### ペクチンのネバネバパワーで免疫力アップ

アフリカ大陸原産で、エジプトでは2000年以上前から栽培されていたといわれています。日本に伝わったのは幕末ごろですが、全国的に普及したのは近年になってから。

食欲をそそる独特の粘りの成分は、ペクチン。ペクチンには血中コレステロールを減らし、血圧を下げる効果があります。さらに胃粘膜の保護、糖分の消化減速、整腸といった働きもあります。

カロテン、ビタミン$B_1$、$B_2$、ビタミンC、カルシウム、カリウム、マグネシウムなども多く含まれ、体の免疫力をアップさせる力強い野菜です。

五角形が主流だが丸い品種も。熟しすぎると果肉はパサつき、種が苦くなる

ネバネバとともに、プチプチとした種の食感がもち味

鮮やかな緑で、うぶ毛が密生しているものが新鮮。塩でこすると、うぶ毛が取れる

**Data**

**注目の栄養成分**
ペクチン、カロテン、ビタミン$B_1$、$B_2$、C、カリウム、カルシウム、マグネシウム

**エネルギー**
26kcal／100g

**おいしい時期**
7月〜9月

**保存**
ビニール袋に入れて、冷蔵庫の野菜室で2〜3日

料理

## オクラと長いものごま酢和え

**材料**

オクラ…1袋（10本程度）
長いも…½本
ごま酢
　白ごま、酢…各大さじ2
　みりん、しょう油…各大さじ½

**作り方**

1. オクラはサッとゆで、1㎝幅の輪切りに。長いもは皮をむき、長さ4㎝ほどの拍子木切りにする。
2. 白ごまをすり、酢、みりん、しょう油を加えてごま酢を作り、オクラと長いもを和える。

### オクラは花が美しい

アオイ科のオクラはハイビスカスに似た花をつける。野菜の花の中では群を抜いて美しい。収穫は開花後わずか4〜5日。若採りしたものは生食できるが、採り遅れるとすじ張ってかたくなってしまう。

品種群

### 赤オクラ

果色が赤いオクラ。ゆでると緑色になってしまうので、色を活かすなら生食で。

### 丸オクラ

大型でさやが丸い品種。五角のものに比べると果肉はやわらかい。

淡色野菜

# ハヤトウリ
隼人瓜

chayote

## カリウムでむくみすっきり

西洋なしのような形で、白色種と緑色種があります。熱帯アメリカ原産の多年生つる性植物で、大正初期に鹿児島県に導入され、薩摩隼人にちなんでこの名前がつけられました。

寒さは苦手ですが、栽培条件がいいと旺盛に繁茂し、何百個も結実するので、〝千成《せんなり》〟とも呼ばれています。

成分のほとんどが水分で、ビタミン$B_1$、$B_2$、Cなどビタミン類はわずか。カリウムが比較的多く含まれているのが特徴です。カリウムには利尿作用があり、むくみの予防に効果があります。

淡泊な味わいで歯ごたえがよく、漬け物やサラダ、煮物、炒め物など、さまざまな調理法で楽しめます。

### パントテン酸とは？

ビタミンB群のひとつで、ほかにはにがうり、落花生、アボカドやレバーなどに含まれている。補酵素コエンザイムAの構成部分として糖やたんぱく質、脂肪の代謝を助けるほか、抗ストレス作用や免疫抗体の合成もおこなう。

淡緑色の皮に色むらがなく、みずみずしくハリのあるもの

持ったときにフカフカせず、しっかりとした重みがある

中央に大きな種がひとつ入っている。透明感のあるみずみずしい果肉がいい

### Data

**注目の栄養成分**
カリウム

**エネルギー**
20kcal／100g

**おいしい時期**
8月～10月

**保存**
冷暗所で保存。1か月以上保存可能

料理

### ハヤトウリと豚肉のチャンプルー

**材料**

ハヤトウリ…1個
豚肉…100g
だししょう油、削り節
塩、こしょう…少々

**作り方**

1. ハヤトウリは皮をむき、種を取って薄切りにする。
2. ひと口大に切った豚肉に塩、こしょうをし、フライパンで炒める。
3. 肉の色がかわったら、ハヤトウリを加え、火を通す。
4. だししょう油で味をつけ、皿に盛ってから、削り節をかける。

### 栽培分布図

名前の由来となった鹿児島をはじめ、高知、宮崎など、おもに温暖な地域で生産されている。

### おいしいカレンダー

●旬

1 2 3 4 5 6 7 **8** **9** **10** 11 12

冷暗所で保存すれば、旬から年末までおいしく食べられる。

# さやえんどう

## 莢豌豆

garden pea

## たんぱく質とビタミンCに富み栄養価が高い

中央アジアから中近東地域が原産で、古代ギリシャ、ローマ時代から栽培されていた歴史ある野菜です。日本へは7～8世紀ごろに中国から渡来したといわれていますが、さやえんどうとして栽培され始めたのは江戸時代です。

さやえんどうは、えんどうを早採りしたものでカロテンの含有量が多く、分類は緑黄色野菜。ビタミンC、食物繊維も豊富です。豆の部分には、ビタミンB1やたんぱく質も含まれており、必須アミノ酸のリジンは体の成長を促進し、しかも集中力を高める効果があります。

品種としては、小型のきぬさや、大ぶりのオランダさやえんどう、肉厚のスナップエンドウなどがあります。

全体が鮮やかな緑で、ハリがあるもの。豆が生育していないものがよい

ヒゲが白っぽく、ピンとしているものが新鮮

### 品種群

**「スナップエンドウ」**

さやと実（豆）の両方を食べられる。さやは肉厚で歯ごたえがあり、実は甘い。

### Data

**注目の栄養成分**
たんぱく質、カロテン、ビタミンB1、C、カリウム、カルシウム

**エネルギー**
38kcal／100g

**おいしい時期**
4月～5月

**保存**
ビニール袋に入れて冷蔵庫で１～2日

### 安心への下準備

すじ取りや、ゆでることで、より安全性は高まる。

料理

## さやえんどうと温泉卵のサラダ

**材料**
さやえんどう
…１袋（20本程度）
温泉卵…１個
マヨネーズ、牛乳…適量
塩、こしょう…少々

**作り方**
1. 塩ゆでしたさやえんどうを皿に盛り、その上に温泉卵をのせる。
2. マヨネーズを牛乳でのばし、塩、こしょうで味を調えてから全体に回しかける。
きざんだピクルスやハーブをドレッシングに入れてもよい。

豆類

# グリーンピース

## 彩りとしてではなくたっぷり摂ろう

green peas

えんどうの未熟果、グリーンピースは〃チャーハンやシュウマイの彩り〃というイメージがありますが、さやえんどうと同様、栄養価の高い野菜です。

でんぷん、たんぱく質、カリウム、亜鉛、ビタミン$B_1$、$B_2$、$B_6$、ナイアシンなどが含まれ、糖質はさやえんどうの倍以上で、カロリーも高くなります。

缶づめや冷凍品として一年じゅう流通していますが、やはり春から初夏の旬の味わいは格別。たっぷり使った炒め物やスープがおすすめです。

### ツタンカーメンも食べた？

古代エジプト王、ツタンカーメンの陵墓を発掘した際に、見つかった副葬品の中にえんどう豆が。3000年以上昔の豆は無事に発芽し、花とさやは紫、豆は茶色というえんどう豆は今も栽培されている。

全体が鮮やかな緑で、サヤにふっくらとした丸みとハリがある
花落ち

## おいしいコツ

### さやつきのものを

むいたものはすぐに乾いてしまうので、できればさやつきのものを。保存はビニール袋に入れ野菜室で。

### すじの取り方

ヘタの部分を折って片側のすじを取り、つぎに反対側の花落ち部分をつまんで取る。

### ゆで方

塩少々を入れた水にグリーンピースを入れ火にかけ、沸騰したら中火で2～3分ゆでる。急に冷ますとしわが寄るので、ゆで汁に水を細く流し入れながらゆっくり冷ますこと。

料理

### グリーンピースのバター煮

**材料**

グリーンピース（生でも缶づめでも）…150g
レタス…適量
ベーコン…50g
コンソメスープの素、砂糖、バター…適量
塩、こしょう…少々

**作り方**

1. 鍋にコンソメスープを作り、グリーンピースとベーコンを入れて火にかける。
2. 煮えてきたらバターと砂糖を加え、中火でコトコト煮る。
3. 豆がやわらかくなったら、塩、こしょうで味を調え、レタスをちぎって入れてから火を止める。

## Data

**注目の栄養成分**
でんぷん、たんぱく質、カリウム、亜鉛、ビタミンB群、ナイアシン

**エネルギー**
76kcal／100g

**おいしい時期**
4月～6月

**保存**
冷蔵庫の野菜室で1～2日か、ゆでて冷凍

### 栽培分布図

鹿児島が全体の約50%を生産。次いで福島が主要産地。

緑黄色野菜

# さやいんげん

莢隠元

string bean, green bean

## 疲労回復や美肌作りには欠かせない

原産地は中央アメリカからメキシコ。豆ではなく、若いさやを食べ始めたのはイタリア人で、そこからヨーロッパじゅうに広まっていきました。

日本へは、江戸時代に明（中国）から招かれた隠元禅師によってもたらされたことから、この名がついたといわれています（隠元禅師が伝えたのはフジマメとの説も）。

カロテン、ビタミンCが多く、緑黄色野菜に分類され、カリウム、ビタミンB群やカルシウムなども含まれています。とくに、若いさやにはアスパラギン酸やリジンが含まれているので、疲労回復や美肌作りの効果も期待できます。

さやの緑が鮮やかで、全体的に細め、まっすぐなものがよい

新鮮なものはハリがあり、さやの先までピンとして、しおれていない

## Data

**注目の栄養成分**
たんぱく質、カロテン、ビタミンＢ群、Ｃ、カリウム、カルシウム

**エネルギー**
23kcal／100ｇ

**おいしい時期**
6月～9月

**保存**
冷蔵庫の野菜室で３～４日

## 生育旺盛で家庭菜園にもぴったり

収穫までの期間が短く、一年に3度も収穫できることから、別名〝サンドマメ〟とも呼ばれている。ツルあり種とツルなし種があり、ツルあり種は春に、ツルなし種は春から初夏に種をまく。収穫は種子まき後50日前後から。ツルなし種は約1か月、ツルあり種は約2か月にわたって収穫できる。市販されているものより、やや小さめのうちに収穫するのがポイント。おいしいだけでなく、次々と実をつけ、長い期間収穫を楽しめる。

高温に弱いので、気温が高いときは敷きワラなどで地温の上昇を防ぐとよい。

## 品種群

### 「モロッコ」

幅広の平さや種で、果長は20㎝ほどと大型だが、やわらかく煮物にもぴったり。

### 「十六ささげ」

愛知県特産の、30㎝にもなるささげ。中の豆が16粒なので、この名がついた。やわらかく食べやすい。

### 「あきしまささげ」

岐阜県特産の平さやのささげ。秋になり気温が下がると、紫のしまが鮮やかになる。煮ると豆がほっくりして、美味。

# さやいんげんとささげはどう違う？

見た目も家庭での使い方もそっくりですが、同じマメ科でも品種群が違います。

ささげはアフリカ原産で、日本ではおもに東海から以西での栽培がさかんです。たいへん種類が多く、大きく分けると、若いさやをいんげんのように食すもの、乾燥させた実を利用するもの、そして飼料になるものがあります。

右ページの「十六ささげ」と「あきしまささげ」は若さやを食べるタイプ。また小豆の代わりにお赤飯に使われているのもささげで、栄養価が高いうえ煮くずれしないいため、重宝されています。

## 効果的な食べ合わせは？

洋食のつけ合わせに使われることが多いが、栄養価が高いのでぜひ主役として扱いたい野菜。油といっしょに摂るとカロテンが体内で吸収されやすくなるので、ごまやピーナッツ、クルミなどで和えると効果的。

ひじきや納豆、あるいはヨーグルトと食べ合わせると、便秘の改善や予防になる。

料理

### さやいんげんとベーコンのソテー

**材料**

さやいんげん…1袋（20本程度）
ベーコン…80g
にんにく…1片
ブイヨンスープ、オリーブ油…少量
塩、こしょう…少々

**作り方**

1. さやいんげんは食べやすい長さに、ベーコンはざく切りにしておく。
2. オリーブ油でにんにくを炒め、ベーコンとさやいんげんを入れて、中火でじっくり炒める。
3. さやいんげんがやわらかくなったらブイヨンスープを加え、水気がなくなるまで炒め煮し、塩、こしょうで味を調える。

## おいしいコツ

### 塩で板ずり

ゆでる前に塩をまぶして板ずりを。表面のうぶ毛が取れるだけでなく、ゆであがったときに色鮮やかに仕上がる。ゆで湯の塩は控えめに。

### かためにゆでて冷凍保存

たくさん手に入ったときは、新鮮なうちにかためにゆでて、冷凍保存を。煮物や炒め物にサッと使えて、たいへん便利。

### 向きをそろえラップでくるんで保存

冷蔵庫で保存する場合は、向きをそろえ、ラップできっちり包むこと。期間の目安は3～4日。

## 栽培分布図

千葉、福島、鹿児島、北海道、茨城、沖縄の1道5県で約50％を生産している。

## おいしいカレンダー

●旬

1 2 3 4 5 ●6 ●7 ●8 ●9 10 11 12

周年出回るが、旬は夏。

# えだまめ
## 枝豆
green soybeans

## 大豆にはない栄養もたっぷり

夏のビールの友、枝豆は大豆が熟す前の未熟果です。

原産地は中国で、日本では稲作とともに伝わったと考えられていますが、枝豆として食べるようになったのは、江戸時代の17世紀末から。枝豆専用の品種も生まれ、今では２００種あまりになっています。

畑の肉と呼ばれるほど良質のたんぱく質に富んだ大豆と同様、たんぱく質はもちろん、糖質、脂質、ビタミン$B_1$、$B_2$、カルシウムが豊富に含まれ、大豆にはないビタミンCもたっぷり含んでいます。葉酸も多く、体の成長促進、貧血の予防などに効果があります。

豆がふっくらとしていて、さやの緑色が鮮やかなもの

枝の間隔が狭く、さやが密生しているもの。うぶ毛がきれいについているほうが新鮮

### Data

**注目の栄養成分**
たんぱく質、糖質、脂質、ビタミンC、$B_1$、$B_2$、カルシウム、葉酸
**エネルギー**
125kcal／100g
**おいしい時期**
7月～9月
**保存**
かためにゆでて冷凍

### 枝つきがおいしい

枝から切り離すと一気に味が落ちるので、ひと手間かけても枝つきのものを購入しよう。切り離したら間をおかず、すぐにゆでるのがおいしく食べるコツ。

品種群

### 茶豆

新潟を中心に栽培されている枝豆。香りが高く、甘みも強い。豆が少し茶色を帯びている。

### 「だだちゃ豆」

山形県鶴岡市の特産。とうもろこしに似た独特の香りと甘みをもつ。さやには茶色の毛がある。

### 黒豆

お正月に煮物で食べる黒豆の未熟果。丹波産がとくに有名。コクとうまみがあるが、晩生種のため出回るのは９月。

# ビールのおつまみに最適なわけ

「とりあえず、枝豆」。ビールを注文するときに、思わず口をついて出る人も多いのではないでしょうか。

初夏に旬を迎える枝豆とビールとの相性は抜群ですが、体にとっても申し分のない組み合わせ。

ビタミンB1、B2、Cなどの豊富なビタミン類とたんぱく質にあるアミノ酸メチオニンが、アルコールの分解を促し、肝臓への負担を軽くします。

さらに、食物繊維がたっぷり含まれているので、腸をきれいにし、大腸ガンや高血圧、糖尿病など生活習慣病の予防などにも効果があるといわれています。

## おいしいコツ

### おいしいゆで方

**1 さやの端をカット**

はさみでさやの端をカットする。こうすることで塩味がしみ込みやすくなる。

**2 塩でもむ**

多めの塩でよくもみ、うぶ毛を落としてしばらく置くと、残留農薬などの不安物質も軽減する。その間にたっぷりのお湯を沸かしておこう。沸騰したお湯に塩を入れ、塩もみした枝豆を洗わずに入れる。

**3 ゆですぎは禁物**

沸騰してから4分で火を止め、ザルに取り、そのまま自然に冷ます。塩がたりなければ補うこと。
余熱があるので「かためかな」と感じるくらいでも大丈夫。ゆですぎるとうまみがどんどん流れ出てしまうので要注意。

### ずんだ、枝豆ディップ

ゆでた枝豆をさやから出して薄皮をむき、水少々と砂糖を加えて細かくつぶしたものが「ずんだ」。塩こしょうとオリーブ油を加えてディップやソースにアレンジしても。

料理

### 枝豆とじゃこのチャーハン

**材料**

枝豆…適量
じゃこ…大さじ2
温かいご飯…茶わん2杯ぶん
酒…大さじ1
しょう油…適量
塩、こしょう、きざみのり…少々

**作り方**

1. 枝豆はさやから出し、薄皮をむく。ご飯に酒をふりかけておく。
2. じゃこを油で炒め、パリッとしたらご飯を加える。
3. パラパラにほぐれたら、枝豆を加え、しょう油、塩、こしょうで味をつける。
4. お皿に盛り、きざみのりをのせる。

## 栽培分布図

山形、群馬、千葉、新潟の4県で、全体の約40%を生産している。

## おいしいカレンダー

●旬

1　2　3　4　5　6　●7　●8　●9　10　11　12

茶豆、黒豆の旬は晩夏からなので9月も楽しめる。

淡色野菜

# とうがん
## 冬瓜
wax gourd

### 暑気払いにおすすめ

原産地はインドだといわれています。日本では平安時代の『本草和名』に記載があることから、古くから親しまれてきた野菜であることがわかります。

漢字では冬瓜と書くので冬の野菜のようですが、旬は夏。皮が厚く、丸のまま冷暗所に保存しておけば、冬までもつことから、この名前がついたそうです。

95%が水分で、栄養価は低く、低カロリーですが、利尿作用のあるカリウムを比較的多く含んでいるので、むくみの解消や高血圧に効果があります。

体を冷やす働きもあり、涼しげな見た目と淡白な味わいが、夏のメニューにぴったりです。

皮の表面全体に粉をふいているものは完熟している

持ってみて、ずっしりとした重みのあるもの

**Data**

**注目の栄養成分**
カリウム、ビタミン$B_1$、$B_2$、C

**エネルギー**
15kcal／100g

**おいしい時期**
7月～9月

**保存**
丸のままなら冷暗所で長期保存可

果肉が白くて、みずみずしいものがよい

料理

### とうがんと鶏肉の煮物

**材料**

とうがん…¼個
鶏もも肉…1枚
だし汁…2カップ
しょう油、みりん、酒…適量
水溶きかたくり粉…適量
しょうが…少々

**作り方**

1. とうがんは食べやすい大きさに切って皮をむき、わたの部分を取り除く。
2. だし汁にしょう油、みりん、酒を入れて煮立ててから、ひと口大に切った鶏肉を入れ、アクを取りながら弱火でじっくりと煮る。
3. 鶏肉に火が通ったらとうがんを加え、やわらかくなったら火を止め、味をなじませる。
4. 食べる直前に水溶きかたくり粉でとろみをつけ、器に盛って針しょうがをのせる。

### 漢方では種を「冬瓜子」という

乾燥した種に便秘解消や去痰、利尿、鎮咳作用があるといわれている。またインドの伝承医学アーユルヴェーダでは「気を降ろす作用がある」ということから、せき止めや解熱に用いられている。

### 食べ合わせ

夏バテぎみなら豚肉と、むくみが気になるならアサリやこんぶといっしょに摂ろう。便秘ぎみの方には、油揚げを入れて作る煮物がおすすめ。

豆類

# そらまめ

## 空豆、蚕豆

broad bean

## 鮮度が命。すぐにゆでる！

世界最古の農作物のひとつで、原産地は北アフリカからカスピ海沿岸といわれていますが、諸説あります。

さやが上を向いてなるため空豆、さやが蚕が作る繭《まゆ》のようなので蚕豆とも書きます。完熟したものは煮豆や甘納豆などに使われますが、野菜としての空豆は、未熟な豆を塩ゆでなどにして食べるのが一般的です。

栄養成分は、たんぱく質、ビタミン$B_1$、$B_2$、Cなどのほか、カリウム、鉄、銅などのミネラル類が多いのが特徴です。

さやから出して空気にふれると、一気に鮮度が落ちるので、なるべくさやに入ったものを求め、ゆでる直前にさやから出すといいでしょう。

### ゆで方

1 たっぷりの湯を沸かし、塩と酒少々を入れてゆでる。酒を入れることで青臭さが和らぐ。ゆで時間は2分程度。ゆですぎは禁物。

2 ザルに取って自然に冷ます。余熱があるので少しかためくらいでOK。好みで塩をたしても。

さやの緑色が濃く、ハリとツヤがあるもの
外から見て豆の形がそろっているものはきちんと育っている


### Data

**注目の栄養成分**
たんぱく質、ビタミン$B_1$、$B_2$、C、カリウム、鉄、銅

**エネルギー**
102kcal／100g

**おいしい時期**
4月〜6月

**保存**
かためにゆでて冷凍

10月に種をまくと、幼い苗の状態で越冬し、3月になってようやく開花する。その花はスイートピーに似て、とても美しい。じっくり、ゆっくりと育ち、収穫は5月中旬から。

さやが上向きにつくので「空を向いた豆」が名の由来。ただし収穫適期になると、豆の重みでさやは下向きになる。

# らっかせい
## 落花生
peanuts

### 老化防止に効果絶大

木の実（ナッツ）ではなく豆ですが、からがかたいので、ピーナッツと呼ばれています。原産地は南米アンデス地方。コロンブスが航海食として利用したことから世界じゅうに広まったといわれています。日本には、江戸時代に中国を経て渡来したことから、南京豆と呼ばれていました。

落花生には、抗酸化作用が高く若返りのビタミンといわれるビタミンEをはじめ、ビタミンB群、血中コレステロールを低下させるオレイン酸、脳の動きを活発にするレシチン、ミネラル類などが含まれています。

アルコールの代謝を助けるナイアシンも含まれているので、お酒のおつまみとしてもすぐれています。

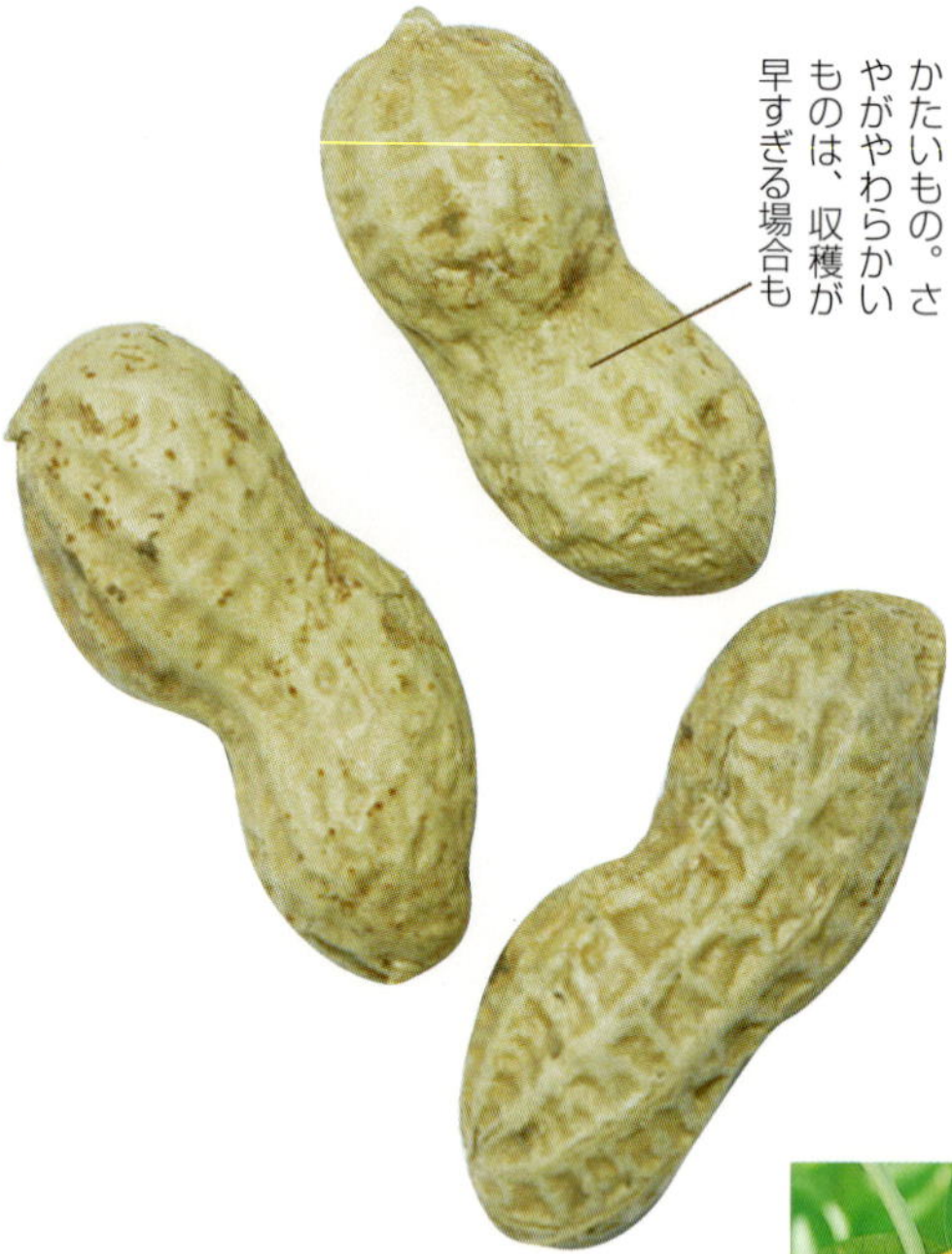

さや（から）のかたいもの。さやがややわらかいものは、収穫が早すぎる場合も

**Data**

**注目の栄養成分**
ビタミンE、B群、オレイン酸、レシチン、カリウム、マグネシウム

**エネルギー**
306kcal／100g（生）
572kcal／100g（乾燥）
613kcal／100g（いり）

**おいしい時期**
8月下旬～9月中旬（生）

**保存**
生は冷凍で約1か月。乾物は密閉容器に乾燥剤を入れて保存

料理

### 手作りもできる！ピーナッツ・スプレッド

ピーナッツバターは、いってつぶしたピーナッツを練ってペースト状にしたもの。市販品（写真）には通常、甘みや塩味を加えてある。
手作りのピーナッツ・スプレッドは、とても香ばしくてクセになるおいしさ。ぜひ一度お試しを。

**材料**
落花生…適量
バター…落花生の半量
メープルシロップ…適量

**作り方**
1. いった落花生の薄皮をむき、フードプロセッサーにかける。
2. 油が出て、ねっとりとしてきたらすり鉢に移し、室温に戻したバターを加えてさらに練る。
3. ほどよいペースト状になったら、メープルシロップを加える。

落花生は花のつけ根から子房柄（しぼうへい）というひげ根のようなものが伸び、土に潜る。そこがふくらんで土の中に豆ができるため「落花生」という名前がついた。

### ゆで落花生の作り方

鍋によく洗ったからつき落花生と塩ひとつまみを水に入れて火にかけ、沸騰してから弱火で30～40分ゆでる。好みのかたさになっていたらザルに取り、自然に冷ます。

品種群

### 黒落花生

黒い薄皮にはアントシアニンが含まれているので、ぜひ食べよう。大半が輸入もの。

種子

# ごま　胡麻

sesame

## 話題のセサミンで老化防止

原産地は、アフリカのサバンナ地帯といわれています。日本には中国から伝わり、奈良時代には重要な農産物になっていました。

昔から「不老長寿の薬」とまでいわれていたごまは、栄養の宝庫。不飽和脂肪酸のリノール酸やオレイン酸、たんぱく質、ビタミンE、B群、カルシウム、鉄などのミネラルを豊富に含んだ健康食品です。なかでも注目されているのが、脂質に含まれるゴマリグナン。ここにもっとも多く含まれるセサミンには強い抗酸化作用があり、老化防止、肝機能の改善、悪玉コレステロールを低下させ動脈硬化を防ぐ、血圧を下げるなどの効果が期待できます。

しっかり吸収するために、すって食べるとよいでしょう。

### Data

**注目の栄養成分**
脂質、たんぱく質、ビタミンE、B群、カルシウム、鉄、セサミン

**エネルギー**
604kcal／100g（乾燥）
605kcal／100g（いり）

**保存**
密閉容器に入れ、早めに使い切る

白ごまと黒ごまの栄養成分はほとんどかわらない。金ごまもある

色が濃く、つやかで粒のそろったものがよい

### 食べる直前にする

ごまは、すればかたい皮を壊せるので、含まれている高い栄養素を体内に吸収しやすくなる。ただし時間がたつと、せっかくのリノール酸が酸化してしまうので食べる直前がおすすめ。

### 練りごまを使って

しょう油、酢、砂糖を合わせ、練りごまを加え、ごま油で濃度を調整し、ラー油で風味をつければバンバンジーソースのできあがり。練りごまにハチミツを加えてごま和えにも。

### いり方

洗いごまを用意。油気のないフライパンか鍋を弱火にかけ、温まったところへごまを入れる。たくさん入れすぎると焦げるので注意。火を強め、鍋を持ち上げ遠火にして木じゃくしなどでゆっくりかき混ぜ、ごまの粒が弾け出したら火を止める。

# とうみょう

豆苗 snow peas leaf

## 豊富なカロテンで粘膜や皮膚を守る

とうみょうとは、えんどうの新芽とつる先5～10㎝の若芽のこと。日本ではまだ一般的ではありませんが、中国では高級食材としてポピュラーな野菜です。とうみょうを作る専用種として〝褐えんどう〟があり、日本では、さやえんどうやさとうえんどうが代用されることがあります。

味はほうれん草に似ていますが、ビタミンCはより多く含まれており、皮膚や粘膜を守り、体に抵抗力をつける効果があります。また、ビタミンE、B群、ミネラルなども豊富で、栄養価の非常に高い野菜です。

さやえんどうのような甘い香りとシャキシャキの歯ざわりを残すためにも、強火でサッと火を通すなど加熱時間はなるべく短くしましょう。

芽が鮮やかな緑色で、みずみずしいもの
育ちすぎているものは、かたくなるので注意

### Data

**注目の栄養成分**
カロテン、ビタミンC、E、B群、カリウム、カルシウム

**エネルギー**
28kcal／100g

**おいしい時期**
露地：3月～5月
水耕：周年

**保存**
立てた状態でビニール袋に入れ、冷蔵庫で1～2日

### 手早く炒めるのがおいしさの秘訣

カロテンが豊富なので、栄養面を考えると油炒めがおすすめ。ただし加熱しすぎは禁物。余熱で火を通すくらいのほうが、色もきれいに仕上がる。

### 豆つきなら再び収穫可

根つきのものと根なしなら断然、根つきのものを。根の少し上を切り、浅い容器に水を張ってひたせば、再び生長する。豆の状態によっては、2～3回は収穫を楽しめる。

料理

### とうみょうと牛肉の細切り炒め

**材料**
とうみょう…1パック
牛肉…200g
オイスターソース、酒…適量
しょう油、砂糖、塩、こしょう
かたくり粉、ごま油…適量

**作り方**
1. 細切りにした牛肉に塩、こしょうをし、しょう油、砂糖、酒、ごま油で下味をつける。
2. 肉にかたくり粉をまぶしてから、強火で炒め、色がかわったらとうみょうを加える。
3. オイスターソースを回しかけて味をからめる。
4. 火を止め、仕上げにごま油をたらす。

# 栽培

# 「スプラウト」を育ててみよう

貝割れ大根、ブロッコリー、マスタード、レッドキャベツ、ロケット、そば、青じそ、…スプラウトにはさまざまな種類があります。

植物の種子は、水分や酸素、適温といった条件がそろうと発芽を始めます。種子の中には生長のための栄養分が凝縮されているわけですが、発芽するとさらに新しいビタミンやミネラルが合成され、栄養価がグッとアップします。発芽野菜「スプラウト」は、たのもしい健康野菜でもあるのです。

食卓でも手軽に栽培できるスプラウト。もっともシンプルなインドア家庭菜園を始めてみませんか。

## 育て方

**種の準備**

スプラウト専用の無消毒種子を用意すること。

1

保存用容器やカップなどの手近な耐熱器を用意し、熱湯をかけて消毒しておく。清潔なスポンジやコットン、キッチンペーパーを容器の大きさに合わせて入れ、充分にしめらせる。

2

重ならないよう注意しながら、たっぷり種をまく。

3

アルミホイルをかけて遮光する。密封しないように小さな穴をあけておこう。

4

つねにしめった状態を保つよう、霧吹きを使って毎日水やりを。水が多すぎると腐りやすいので、新しい水をこまめに与えよう。

5

発芽したらカーテン越しに光をあてる。葉の色が少し濃くなったら収穫。

**栽培ポイント**

＊栽培適温は 15 ～ 25℃。室内温度を調節すれば真夏や真冬はもちろん、一年じゅう栽培可能。
＊栽培期間：7日～ 10 日程度。
＊毎日の水やりを忘れずに。つねにしめった状態を保つのがポイント。とはいえ過湿ぎみだと水が腐り、スプラウトが傷んでしまうので要注意。
＊しっかり遮光すること。

協力／中原採種場（株）

発芽野菜

# もやし

bean sprouts

## 豆からもやしになると栄養価がアップ

「もやし」は、じつは植物名ではなく、豆、米、麦、野菜の種子を水にひたし、日光を遮断して発芽させた若芽の名称です。

一般にもやしと呼ばれているのは、けつるあずきから作るブラックマッペと、緑豆から作る緑豆もやしをさし、大豆から作るもやしは豆もやしと呼ばれています。

見た目はか弱いイメージですが、豆にはないビタミンCをはじめ、ビタミンB群、疲労回復に効果的なアスパラギン酸、カリウム、カルシウム、鉄、食物繊維などを含んだ栄養価の高い野菜です。

ビタミンCの損失を防ぎ、歯ざわりを残すためには「加熱調理は手早く」が鉄則です。

**Data**

**注目の栄養成分**
ビタミンC、B群、アスパラギン酸、カリウム、カルシウム、鉄、食物繊維

**エネルギー**
ブラックマッペ：17kcal／100g
大豆：29kcal／100g

**おいしい時期**
周年

**保存**
袋のまま冷蔵庫で1日

ひげ根が白いもの。茶色く変色しているものは古い

### ブラックマッペ

流通しているものの主流で、けつるあずきのもやし。

### 豆もやし

大豆のもやし。たんぱく質が豊富で歯ごたえがある。

### ひげ根を取る

少し手間がかかるが、ひげ根の先端部分を手で折り取ると、料理の仕上がりがきれいになるだけでなく、口当たりもよくなる。最近では「根切りもやし」という商品もある。

## 発芽野菜の種類

### ブロッコリースプラウト

ガン抑制効果が高いスルフォラファンが、ブロッコリーの10倍含まれている。辛みがマイルドで食べやすい。

### 貝割れ大根

代表的なスプラウト。ピリッとした清涼感があり、安眠を促す効果もある。

### レッドキャベツ

見た目が鮮やかなので料理の彩りにはもってこい。胃にやさしいビタミンUを豊富に含んでいる。

### 「スーパースプラウト」

発芽後わずか3日のブロッコリースプラウト。スルフォラファンがブロッコリーの20倍と、驚異的。

### アルファルファ

中央アジア原産の「ムラサキウマゴヤシ」という牧草のもやし。栄養価が高く、ダイエット食としても注目されている。

豆類

# まめ

beans

## 加工にも強い完全栄養食

世界じゅうで常食されている豆は、炭水化物とたんぱく質に富み、エネルギー源として欠かせない食品です。

日本人が古くから親しんでいる豆は大きく分けて、いんげん豆、大豆、えんどう豆、ささげの4種。煮豆のほか、あんや甘納豆として、また大豆はみそ、しょう油、豆腐、納豆などの加工品としても利用され、日本の食文化を支えています。

豆類は、カルシウム、カリウム、ビタミン$B_1$、食物繊維などもバランスよく含んでいて、まさに完全栄養食といえるでしょう。

ほかの豆類に比べ、たんぱく質と脂質が多い大豆は、昔から「畑の肉」と称され、ご飯に合うおかずとして、日本人の健康を支えています。

### 金時豆《きんとき》

いんげん豆の代表品種。鮮やかな赤紫色とホクホクとした味わいが特徴。洋名はキドニービーンズ。

### 黄大豆

一般に大豆と呼ばれる豆。油、しょう油、みそ、納豆の原料にもされる。北海道の鶴の子大豆が有名。

### 小豆《あずき》

小粒のものを小豆、大粒のものを大納言という。甘いあんにして利用されることが多いが、煮物にも。

### 保存法

ゆでた豆は汁ごと密封袋に入れて冷凍保存。使うときは自然解凍で。

## Data

**注目の栄養成分**
炭水化物、たんぱく質、カルシウム、ビタミン$B_1$、食物繊維、脂質

**エネルギー**
小豆:122kcal/100g
大豆:163kcal/100g
いんげん豆:
123kcal/100g
えんどう豆:
129kcal/100g
ささげ:
130kcal/100g
(すべて全粒·ゆで)

**おいしい時期**
周年(その年に採れたものは春先までは新豆と呼ぶ)

**保存**
缶やびんに移し、乾燥剤を入れて冷暗所に

料理

### 金時豆のトマト煮込み

**材料**
ゆでた金時豆…適量
ベーコン、たまねぎ、にんにく、パセリ、カットトマト缶…適宜
塩、こしょう…少々

**作り方**
1. みじんに切ったにんにく、たまねぎ、薄切りにしたベーコンを炒め、金時豆を入れる。
2. カットトマトを加えて煮込む。味がなじんだら、塩、こしょうで味を調える。彩りにきざみパセリを。

## ゆで方の基本

軽く洗った豆は、約3倍量の水にひと晩浸けおき、ふっくらと戻しておく。

水はかえず中火にかけ、沸騰したらそのまま3〜4分ほど煮立てる。

ザルにとり、水をかえて再び火にかける。煮立ったら弱火にして、30分ほど煮る。

指先でつまんでつぶれるほどのやわらかさになったら火を止め、30分ほど蒸らす。

品種群

## 虎豆
半分が白、半分が茶色のまだら模様とユニークで、もっちりとしたおいしさが魅力。煮豆に最適。

## 白花豆
大粒で純白の美しい豆。見栄えがするので、高級品の煮豆やおせち料理のきんとんに用いられる。

## 紫花豆
その花の美しさから「べにばないんげん」と呼ばれる。大粒でふっくらとした煮豆や甘納豆に。

## 白いんげん豆
「手芒（てぼう）」「大福豆」などの品種がある。甘納豆や白あんとして、和菓子に用いられることが多い。

## ささげ
大角豆とも呼ばれる。煮豆やあんにもなるが、もっぱら赤飯に用いられている。栽培は関東以南で。

## 赤えんどう
みつ豆や豆大福に用いられる丸い豆。ご飯との相性がいいので、炊き込んでもおいしい。

## 青えんどう
グリーンピースが完熟すると、この青えんどうになる。うぐいすあんや甘納豆に。洋風にスープ煮にも。

## うずら豆
その模様がうずらの卵に似ているため、こう呼ばれている。煮豆や甘納豆に。北海道十勝産が有名。

## ひよこ豆
ガルバンゾとも呼ぶ。ホクホクした風味をもち、インド、メキシコ、ヨーロッパで常食されている。

## レンズ豆
世界最古の豆のひとつ。おもにインドや中近東、アフリカで食されている。下ゆでなしで調理できる。

## 青大豆
煮豆やうぐいすきな粉、青豆腐に用いられる。色がきれいなひたし豆も青大豆の一種。

## 黒豆
おせち料理には欠かせない黒豆にはアントシアニンがたっぷり。煮るときに釘を入れると色が鮮やかに。

# 豆腐

## 良質な栄養源。乳児からお年寄りまで

植物性たんぱく質をたっぷり含む豆腐は、大豆そのものを食べるより消化吸収がよいのが特徴。コレステロールを減少させる作用があるリノール酸をはじめ、女性特有の更年期障害を予防する大豆イソフラボン、抗酸化作用の強いサポニン、動脈硬化を防ぐレシチンなど、多くの栄養成分を含む注目食材。

# おから

## 他食材との相性がよく食物繊維もたっぷり

豆腐や豆乳のしぼりかすがおから。別名「うの花」。豆腐や豆乳に比べるとやや栄養価は下がるが、それでもたんぱく質、ビタミンB群、脂質、カルシウムなどを豊富に含む優良食材。とくに食物繊維がたっぷりで、その含有量はごぼうの2倍。セルロースを多く含むため便秘予防効果がある。クセがなく、ほかの食材と混ぜて使っても。

# 豆乳

## 飲料、調理用として牛乳感覚で利用しよう

水で戻した大豆をすりつぶし、煮て、こしたものが豆乳。市販の豆乳には「豆乳」「調製豆乳」「豆乳飲料」の3種類がある。

高い栄養分をたっぷり摂るなら、豆乳鍋がおすすめ。豆乳をだしで薄めて、肉、魚介類、白菜、水菜、ねぎなど、好みの具材を入れる。豆乳のもつコクがからみあって、淡泊な野菜がグッとおいしくなることうけ合い。表面でかたまって浮いてくるのは湯葉。具を食べ終えた鍋の豆乳は、残らず飲み干して。

# テンペ

## インドネシア発の大豆発酵食品

インドネシア伝統の大豆発酵食品。煮てやわらかくなった大豆をつぶし、クモノスカビ（テンペ菌）を混ぜて発酵させたもの。先進国ではベジタリアンのたんぱく源として定番化している。納豆と違って糸を引かず、固形で切り分けることもできるため調理しやすい。炒め物、煮込み料理、汁物の具に。あるいはそのまま手軽に食べてもおいしい。

## 豆乳の作り方

1 たっぷりの水に大豆をひと晩浸け、吸水させる。

2 水を切った大豆と新しい水をミキサーにかける。

3 のり状になったら止める。

4 鍋に移し、水を追加して弱火にかける。

5 煮立ったらザルでこす。これがおから。

6 さらにふきんでこして、口当たりをなめらかに。

## 手軽に使える豆素材

写真上は「大豆の蒸し煮缶」。すぐに調理でき、味もしみやすい。煮物やサラダに。

写真下は「押し青大豆」。水で戻した青大豆をつぶして乾燥したもので、打ち豆ともいう。10分ほどで戻るので、急いでいるときにも便利。煮物や汁物の具にも使える。

料理

## 豆の常備菜

**材料**

ゆでた豆（好みのもの）
…約375g（乾物で1カップ）

A
- オリーブ油…大さじ4
- ワインビネガー…大さじ2
- たまねぎ…½個
- パセリ…少々
- 塩、こしょう…少々

**作り方**

たまねぎとパセリはみじん切りにする。Aの材料を合わせドレッシングを作り、豆を漬け込む。

# 沖縄野菜食文化

## 野菜の苦みが長寿の秘訣

ウチナーンチュ（沖縄人）の言葉では、語尾をのばすことが多いので、にがうりは「ゴーヤー」と発音します。ゴーヤーが沖縄野菜の代名詞となり、今ではもうにがうりでもツルレイシでもなく、ゴーヤーとして広く流通するようになりました。

夏場は、あの苦みが食欲増進につながり、加熱に強いビタミンCとカロテンが疲労回復に効果的。発汗によって失われるビタミンやカリウム、カルシウム、鉄などのミネラルを補ってくれるすぐれた野菜です。

もちろん長寿沖縄の人々を支えた健康野菜は、ゴーヤーだけではありません。沖縄には、本土にはない野菜食文化があるのです。

太平洋戦争を乗り越え、昭和47年の本土復帰。沖縄の人々にとって長く厳しい時代でした。本土に返還されたのちにも、野菜などの流通には制限があったのです。沖縄特産のゴーヤー、紅いも、バナナなど、病害虫を本土に持ち込む危険性が考慮され、移動を禁止されていた野菜も少なくありませんでした。近年それが自由化され、本土の沖縄物産店では、たくさんの野菜を購入することができます。

さとうきびが茂る沖縄は、年間の平均気温22度。真夏の野菜栽培には不向きです。島は決して肥よくな土地ではなく、台風の影響も厳しいものです。野菜の安定供給には、長い間苦労がありました。

人々は、畑で栽培するもののほかに青パパイヤの実を野菜として利用し、野山に自生する緑黄色の野草を食卓に使う習慣があります。

そんな野草には、フーチバー（よもぎ）、ンジャナ（苦菜）、ハンダマ（水前寺菜）など、苦みの強いものが多いようです。

たとえば、フーチバー。本土ではよもぎ餅として楽しみますが、沖縄では生で食べます。独特の強い香りと苦みが、ソーキソバやジューシー（炊き込みご飯）には欠かせません。

文明の進歩とともに、人類の味覚は甘みに慣れ、苦みに敏感になるといわれています。何もかもが食べやすく改良されていく昨今、沖縄野菜のもつ苦みは、日本人の食生活への警鐘かもしれません。

左ページ写真
左上：沖縄はゴーヤー生産量日本一を誇る
右上：見渡す限り広がるナーベラー（へちま）の畑。地這いで栽培する
左下：20㎝ほどの大きさが採りごろ。育ちすぎると繊維が強くなる
右下：島バナナの苗木。小ぶりで少し酸味があるのが特徴

## ナーベラー
（へちま）

**Data**

**注目の栄養成分：**カリウム、食物繊維
**おいしい時期：**5月〜9月

### みそ風味の炒め煮が有名

食用にするのはへちまの幼果。そのほとんどが水分で、わずかにビタミン、ミネラルを含む程度ですが、煮るととろっとした口あたりになり、ほんのりとした甘みも出て、とてもおいしくなります。

## ゴーヤー
（にがうり、ツルレイシ）

**Data**

**注目の栄養成分：**ビタミンC、カリウム、カロテン
**おいしい時期：**7月〜8月

### 沖縄野菜の決定版

強い苦みがあるため、にがうりとも呼ばれています。夏バテの解消にさかんに利用されている野菜で、庭先にゴーヤーの日よけがあるのが、沖縄家庭のよくある風景。

沖縄を代表する、もっともポピュラーな家庭料理「ゴーヤーチャンプルー」はゴーヤーと豆腐の炒め物。家庭によって具はさまざまで、卵、たまねぎ、豚肉、ポーク缶などがよく使われます。

## パパヤー
（野菜パパイヤ）

**Data**

**注目の栄養成分：**カリウム、カルシウム、カロテン、ビタミンC
**おいしい時期：**7月〜9月

### 炒め物にも煮物にも

沖縄では未熟果を野菜として食します。パパイヤはたんぱく質分解酵素のパパインを含んでいるので、いっしょに煮込むと肉がやわらかくなります。また、高血圧抑制効果も。家庭の庭木の定番です。

## うりずん豆
（しかくまめ）

**Data**

**注目の栄養成分：**ビタミン$B_1$、C、カロテン、カリウム
**おいしい時期：**5月〜6月

### ひだがついたユニークなさや豆

熱帯地方原産で沖縄を中心に栽培されている豆。「うりずん」というのは沖縄の新緑の季節のことで、その季節から収穫が始まるからとか、豆の色がうりずんのころの新緑に似ているからなど、その名前の由来は諸説あります。

さやえんどう同様、豆の若いさやを食用にします。さやの断面がひだのついた四角形で、ほんの少しの苦味がマヨネーズとよく合います。

東京のスーパーでも見かけるようになってきました。

# フーチバー（よもぎ）

**Data**

**注目の栄養成分：**ビタミン$B_1$、$B_2$、カロテン、カルシウム、カリウム、鉄
**おいしい時期：**周年

## 万能な沖縄ハーブ

沖縄のフーチバーは、内地のよもぎとは違い、苦みのやわらかな「にしよもぎ」という種類。独特のさわやかな香りがあり、沖縄では古くから細かくきざんでジューシー（炊き込みご飯）に入れたり、肉汁や魚汁の臭み消しとして食されてきました。

ビタミンやカロテン、カリウム、鉄分が豊富に含まれ、沖縄では解熱、神経痛、リウマチ、胃腸病、高血圧などに効く万能薬草として重宝されています。

# ハンダマ（金時草、水前寺菜）

**Data**

**注目の栄養成分：**カロテン、カルシウム、カリウム、鉄、ビタミン$B_2$、C
**おいしい時期：**6月下旬〜10月下旬

## 貧血予防や血行改善に

春菊に似た高い香りがします。葉の裏面は鮮やかな紫色で、抗酸化作用をもつアントシアニンを含みます。肉厚な若い茎葉を摘んで、おひたし、酢の物、汁の具、イリチー（油炒め）やンブシー（炒めたみそ煮込み）などに利用します。

カロテン、ビタミン$B_2$、C、カリウム、カルシウム、鉄などを多く含み、栄養価が高いのも魅力。沖縄では「血の薬」とも呼ばれ、女性にはうれしい野菜です。

# ンジャナ（苦菜）

**Data**

**注目の栄養成分：**カロテン、カルシウム、カリウム、ビタミンC
**おいしい時期：**12月〜5月

## 薬効性が高い沖縄野草

琉球王朝の時代から滋養食とされた薬草の一種で、山原（ヤンバル）地方では、どこにでも自生しています。葉、茎、根に苦みがあり、栽培ものより自生しているもの、とくに海辺に近いところのものは苦みが強いといいます。

健胃剤の薬草として重宝され、油分を加えると苦味が和らぎます。そしてビタミンCやカロテン、カルシウム、カリウムが豊富。

今でも日常的に薬草として利用されています。

# アロエベラ

**Data**

**注目の栄養成分：**アロエマンナン、食物繊維
**おいしい時期：**周年

## ゼリー部分は滋養豊か

多年性常緑多肉質植物で、生葉の内側にある葉肉は、水分をたっぷり含んだ透明のゼリー状。ビタミン、ミネラル、アミノ酸、酵素等の天然の滋養分が豊富です。古くから万能薬草とされ、暮らしに欠かせない植物でした。

気候と土壌が適していることから、キダチアロエとともに、さかんに栽培されています。食べるときは、肉厚の葉の皮をむいて、刺身やサラダで。

# チデークニ（島にんじん）

**Data**

**注目の栄養成分：**カロテン、カリウム、食物繊維

**おいしい時期：**11月～2月

## 鮮やかな黄色は彩りとしても

沖縄特産の冬野菜で、琉球語の「チ」は黄色い、「デークニ」は大根のこと。

黄色が特徴的な沖縄在来種のにんじんで、一時は東北地方から九州地方まで広く栽培されていたようです。

見た目はごぼうとよく似ていて、香りには独特のさわやかさがあります。

栄養面では豊富なカロテンが特徴。カロテンは油と調理すると吸収がよくなり、炒め物や天ぷら、汁物など幅広い料理法で食されています。

# 島らっきょう

**Data**

**注目の栄養成分：**カリウム、食物繊維、ナイアシン、アリシン

**おいしい時期：**3月～5月

## 浅漬けに削り節を添えて

強い香りと辛みをもち、シャキシャキとした歯ざわりが特徴です。辛みと香りの成分硫化アリルは、たまねぎやねぎ類にも含まれており、血栓や動脈硬化の予防、抗ガン作用などが期待されています。

もっともポピュラーな食べ方は浅漬けで、塩もみしたものに削り節をかけます。天ぷら、炒め物、サラダとしても人気。一般的なのは若採りした細長いものですが、漬け物用に球状に肥大したものもあります。

# シークヮーサー（平実《ひらみ》レモン）

**Data**

**注目の栄養成分：**ビタミンC、$B_1$、カロテン

**おいしい時期：**8月～1月

## いちばん人気の沖縄特産品

沖縄を中心に自生するかんきつ類の一種で、直径4～5㎝の小さなみかん。琉球語で「シー」は「酸」、「クヮーサー」は「食わせるもの」を意味します。

レモンの代わりに、果汁を飲み物やドレッシング、ジャム、などに利用しています。

シークヮーサーに多く含まれるフラボノイドの一種、ノビレチンに血圧降下作用があることがわかり、ガン抑制効果とともに期待が高まっています。

# コーレーグース（島とうがらし）

**Data**

**注目の栄養成分：**ビタミン$B_1$、C、カプサイシン

**おいしい時期：**9月～10月

## 小粒でも辛さは強烈

昔から香辛料として利用されてきました。泡盛に漬け込んだものは、ソーキソバには欠かせない調味料。

島とうがらしは、本土で多く流通しているものとは違う品種で、多年生なのが特徴です。

辛み成分のカプサイシンが血液の循環をよくし、食欲不振の改善や健胃作用といった効果があります。

# 根を食べる

大根やじゃがいもなど
一般に根菜と呼ばれ、
土の中で育つものを中心に
集めました。

# だいこん
## 大根
Japanese radish

葉の色が鮮やかな緑で、みずみずしいもの。黄色いものは古い
ヒゲ根が少なく、ハリとツヤがあり、ずっしりと重みがあるもの
青首大根

**Data**

**注目の栄養成分**
根：ビタミンC、ジアスターゼ
葉：カロテン、ビタミンC、食物繊維、カルシウム

**エネルギー**
根：15kcal／100g
葉：23kcal／100g

**おいしい時期**
7月～8月、11月～3月

**保存**
使いかけはラップで包み、冷蔵庫で３～４日

## 消化酵素たっぷり野菜

原産地は、中央アジア、地中海沿岸など諸説ありますが、はっきりしていません。いずれにしても最古の野菜のひとつで、古代エジプトの時代には栽培されていたといわれています。

流通しているものの種類としては、大きく分けてヨーロッパ大根、中国大根、日本大根の3つがあります。

日本には中国から伝わり、各地に広まってさまざまな品種が生まれました。日本最古の書物『古事記』にも記載があり、春の七草のひとつ〝すずしろ〟として親しまれてきました。

根の部分は95％が水分で、ビタミンCと消化酵素のジアスターゼが豊富に含まれています。ジアスターゼは熱に弱いので、生のまま食べるのが効果的です。また、葉はカロテン、ビタミンC、カルシウム、食物繊維が豊富な緑黄色野菜です。

根は、春から夏にかけてはやや辛みが強く、秋から冬は甘みが増してきます。

### ♥安心への下準備

葉はきちんと洗って、水にさらしてから、ゆがく。皮はていねいにむいてから調理する。

葉はサッとゆでて、菜飯やふりかけ、煮物の彩りに。冷凍保存も可能。

品種群

## 辛味大根
辛みが強いので、おろしたてのものを薬味代わりに用いる。小型。

## 赤大根
外皮は鮮やかな紅色だが、中は白い中型大根。肉質はしっとりとして、歯ごたえもある。

## 「レディサラダ」
皮が紅色の小型大根。色みを活かして生食される。神奈川県三浦市で多く栽培。

## 「紅芯」大根
中国系大根。外皮が緑で中は鮮やかなピンク色。水分が多く甘みが強い。加熱すると黒っぽく変色する。

## ラディッシュ(赤)
二十日大根。赤丸がポピュラーな品種。サラダの彩りに。まるごとみそ汁に入れても美味。

## ラディッシュ(白)
二十日大根。明治以降ヨーロッパから導入されたミニ大根。生食向き。

## 「三浦大根」
昭和初期に広まった白首大根。大型で中ぶくれなのが特徴。たくあん用に。

## 「聖護院大根」
京都特産の伝統野菜。球形で2kgほどある大型大根。肉質は緻密で、とくに煮物にすると絶品。

## 「亀戸大根」
江戸伝統野菜のひとつで、最小の日本大根。なめらかな肉質が特徴。旬は春だが、生産量はごくわずか。

## おいしいコツ

### 葉と根は切り分ける
葉から水分がどんどん蒸発するので、すぐに切り分け、別々に保存する。葉はゆでておく。

### ラップで包む
使いかけのものはラップで包み、冷蔵庫に立てて保存。

### 新聞紙で包む
丸のままの場合は新聞紙に包み、冷暗所で保存する。

### 民間療法
のどの痛みには、おろし汁にハチミツを入れて飲むとよい。肩こりや筋肉痛にはおろし湿布、さらに障子の黄ばみ取りにも。
干した葉を煎じ、その汁を風呂に入れると薬湯になり、冷え性や皮膚の炎症を緩和するのに効果がある。

## 栽培分布図
春大根の1位は千葉、夏大根の1位は北海道。秋冬大根は宮崎、千葉、神奈川など。

## おいしいカレンダー
●旬

1 2 3 4 5 6 7 8 9 10 11 12

（旬：1、2、3、7、8、11、12）

**秋冬大根**（11〜3）
宮崎、千葉、神奈川

**春大根**（3〜5）
千葉

**夏大根**（6〜8）
北海道

# 料理に合った部位を使おう

大根は上のほうが甘く、下にいくほど辛みが強くなります。調理方法に応じて、使う部位を選びましょう。葉に近い首の部分は甘みが強く、ややかためなので、おろしやサラダに。おろすとビタミンCが減少するので、酢を加えるとよいでしょう。

やわらかい中央部分は、おでんやふろふきなどの煮物向きです。先端付近は辛さを活かして、薬味的に使ってみましょう。

青首大根に押され、生産量が減った白首大根。

甘い首の部分は、おろしやサラダに
煮物を作るなら中央部分。色もきれい
辛みが強い先端部分は薬味向き

# 青首大根ばかり見かける理由

1974年に生まれた品種が、早太りで「す」入りが遅く、病気に強いといった理由で、またたく間に全国で栽培されるようになりました。形が整っているうえ、甘くてみずみずしいのも魅力的。地上へせり上がってくるので引き抜きやすいため、収穫も簡単です。

## ゆでる

### 上手なゆで方

苦みを残さないように下ゆでするにはコツがある。

1 大根は3～4㎝の輪切りに。ティーバッグにスプーン1杯の米を入れ、水を張った鍋に大根とともに入れる。米を入れることでアクと苦みが取れ、うまみが増す。米のとぎ汁を使っても。

2 煮立ってきたら、竹串が通るまでゆっくりゆでる。

3 ゆであがったら水にとり、ぬめりを落とす。

下ゆでした大根は、ブリや豚肉といっしょに煮たり、おでんやふろふきにしたりできる。

1 ティーバッグにスプーン1杯の米を入れる。とぎ汁でもよい。

2 煮立つとアクが集まってくる。

3 水にとると大根が透き通ってくる。

## ブリ大根

**材料**

大根…½本
ブリのあら
(切り身でも)…適量
酒…大さじ3
しょう油…大さじ3
みりん…大さじ2
砂糖…大さじ1
しょうが…少々

**作り方**

1. 大根は3㎝ほどの輪切りにし、下ゆでしておく。
2. ブリのあらは熱湯をかけてから、水できれいに洗う。
3. 酒、しょう油、みりん、砂糖を鍋で煮たてたら、しょうがの薄切りとブリを入れ、落としぶたをして煮る。
4. ブリに火が通ったら大根を加え、中火でひと煮立ちさせたら火を止め、味をしみ込ませる。

生

## 焼き魚大根ポン酢添え

**材料**

大根…適量
焼き魚（なんでも）…ひと切れ
ポン酢、ごま油…適量
白ごま…少々

**作り方**

1. 大根を千切りにし、焼き魚にのせる。
2. ポン酢、熱したごま油をかけ、白ごまをふる。

## 大根おろし鍋

**材料**

大根…１本
豚肉（しゃぶしゃぶ用）…適量
水菜、ねぎ…適量

**作り方**

1. 土鍋に半量ほどの湯を沸かし、そこにおろした大根を汁ごと全部入れる。
2. ふつふつと煮えてきたら、しゃぶしゃぶの要領で肉や野菜を鍋の中でゆらし、ポン酢をかけて食べる。

干す

## 切り干し大根のサラダ風

**材料**

切り干し大根…50g
たまねぎ…½個
わかめ、鶏肉…適量
酢、しょう油、ごま油、ラー油…適量

**作り方**

1. 切り干し大根は水で戻しておく。わかめは水で戻したあと、熱湯をかける。
2. たまねぎは薄切り、鶏肉は蒸して食べやすい大きさに切る。
3. 材料を合わせ、調味料で和える。鶏肉をじゃこに代えてもよいし、酢の代わりにレモン汁を使っても。

## 干すと増す うまみと栄養価

　野菜を干すと水分が抜け、うまみが凝縮されますが、注目すべきは栄養価がグッと高まることです。生のものと切り干し大根の栄養価を比べると、カリウムは約14倍、カルシウムは約23倍、食物繊維は16倍、鉄分は49倍にもなるのです。

　干し野菜は家庭でも簡単に作れます。カラカラに乾燥させなくてもかまいません。少し水分をとばすだけでも効果あり。まずは大根、きのこ類、なすあたりから始めてみては。

炒める

## 大根とホタテ缶づめの炒め物

**材 料**

大根…¼本
大根の葉…少々
ホタテ缶づめ…１缶
しょう油…少々

**作り方**

1. 大根の葉は、ゆでてから小口切りにする。
2. 短冊切りにした大根をごま油で炒め、火が通ったらホタテと葉を加え、しょう油で味をつける。

淡色野菜

# かぶ 蕪 turnip

## 栄養価が高いのはじつは実より葉

原産地はアフガニスタン付近の中央アジアか、地中海沿岸ではないかといわれています。日本では『日本書紀』に記載があり、古くから重要な農産物だったことがわかります。長い栽培の歴史の中で各地に根づき、さまざまな品種が生まれました。

丸い実の大部分は水分ですが、ビタミンCやカリウムが比較的多く、消化酵素のジアスターゼが含まれているので、胃もたれ、胸焼けなどに効果があります。実よりも栄養価が高いのが葉の部分。カロテン、ビタミン$B_1$、$B_2$、C、カルシウムなどが豊富に含まれています。

緑が鮮やかで、みずみずしくピンとしているもの
ハリがあって傷がなく、ヒゲ根が少ないもの
小かぶ（金町系）

収穫適期のものは、土の上にその姿をさらしている。ふだん食べているのは、じつは胚軸という部分で、根は土の中のヒゲ状のものをさす。

### Data

**注目の栄養成分**

実：ビタミンC、カリウム、ジアスターゼ

葉：カロテン、ビタミン$B_1$、$B_2$、C、カルシウム

**エネルギー**

実：18kcal／100g

葉：20kcal／100g

**おいしい時期**

3月～5月、10月～12月

**保存**

葉は濡れた新聞紙などに包み、冷蔵庫に入れ早めに食べる。実はビニール袋に入れて冷蔵庫で3～4日

### 品種群

**「津田かぶ」**

島根県松江市特産。牛の角のように曲がっており、色も2色。寒風に干して漬け物にされる。

**「飛騨紅かぶ」**

岐阜県高山市特産。皮が赤く中は白い。漬け物は高山名物である。

**芽かぶ**

姿のまま、酢の物やおすましの具などに使われる。専門店での利用がほとんど。

**サラダかぶ**

肉質のきめが細かく、やわらかくて甘みもある。生食向き品種。

# お国自慢のかぶたち

日本にやってきたかぶは、各地の気候や風土に合うように変異し、さまざまな品種が生まれました。その数は80種ともいわれています。

日本のかぶには東洋型と西洋型がありますが、関ヶ原付近を境に分布がはっきり分かれます。西日本に分布する東洋型は、葉や茎に毛があり、葉は立ち性。全体的にゴツいかぶが多いようです。東日本に分布する西洋型は、それに比べるとツルツルしています。また、境界線地域には東洋と西洋の中間種が存在しています。

多くのかぶは漬け物にされ、ご当地名物の身近な味として人々に愛されています。

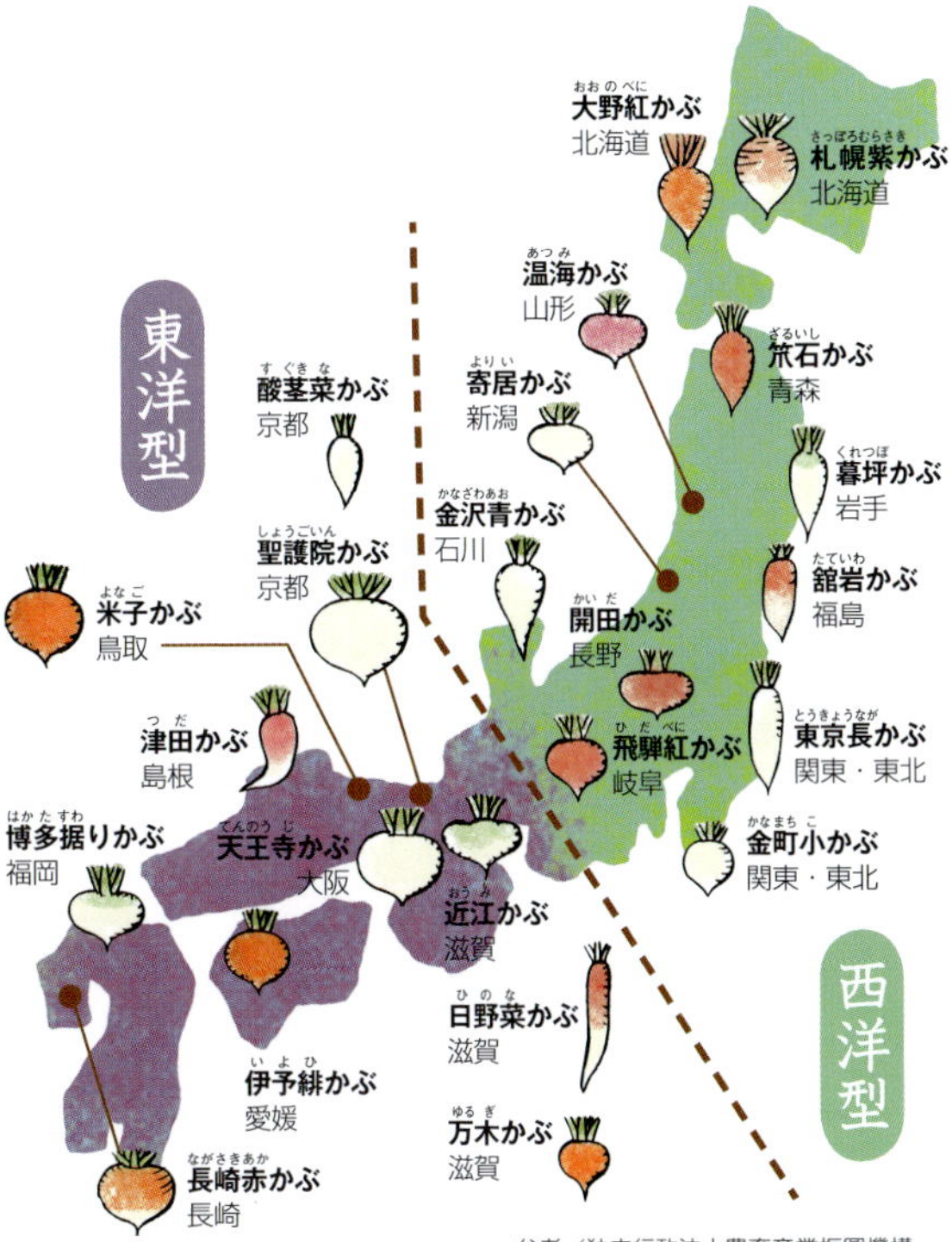
東洋型
西洋型
大野紅《おおのべに》かぶ
北海道
札幌紫《さっぽろむらさき》かぶ
北海道
温海《あつみ》かぶ
山形
笊石《ざるいし》かぶ
青森
寄居《よりい》かぶ
新潟
酸茎菜《すぐきな》かぶ
京都
暮坪《くれつぼ》かぶ
岩手
金沢青《かなざわあお》かぶ
石川
聖護院《しょうごいん》かぶ
京都
舘岩《たていわ》かぶ
福島
米子《よなご》かぶ
鳥取
開田《かいだ》かぶ
長野
津田《つだ》かぶ
島根
飛騨紅《ひだべに》かぶ
岐阜
東京長《とうきょうなが》かぶ
関東・東北
博多《はかた》据《すわ》りかぶ
福岡
天王寺《てんのうじ》かぶ
大阪
金町小《かなまちこ》かぶ
関東・東北
近江《おうみ》かぶ
滋賀
日野菜《ひのな》かぶ
滋賀
伊予緋《いよひ》かぶ
愛媛
万木《ゆるぎ》かぶ
滋賀
長崎赤《ながさきあか》かぶ
長崎

参考／独立行政法人農畜産業振興機構

## おいしいカレンダー

● 旬

1　2　**3**　**4**　**5**　6　7　8　9　**10**　**11**　**12**

周年流通しているが、千葉、埼玉、青森産などが多く出回っている。

## おいしいコツ

### 葉と実は別々に保存する

葉をつけたままにしておくと、水分がどんどん奪われるので、買ったらすぐに切り分け、別々に保存しよう。

### 葉はゆでて冷凍

葉は塩ゆでし、水分をしぼってから冷凍する。煮物、炒め物、彩りにも使える。

### 残り野菜の簡単漬け物

かぶ、にんじん、きゅうり、キャベツなど、半端に残った野菜をきざみ、塩もみしておく。水分を切ったら、顆粒のこんぶ茶をふりかけて味をなじませる。
こんぶ茶の代わりにきざみ塩こんぶを使っても。

料理

### 万能オリーブソース

かぶ、にんじん、キャベツなどの蒸し野菜をオリーブソースでシンプルに。
パスタとも肉料理とも相性抜群。

**材料**

黒オリーブ（種なし）…１びん
ケーパー（あれば）…大さじ１
バジルの葉（あれば）…２枚
にんにく…１片
エキストラバージンオリーブ油…大さじ１
塩、こしょう…少々

**作り方**

材料をミキサーにかけ、塩、こしょうで味を調える。

### かぶの葉のふりかけ

**材料**

かぶの葉…適量
ちりめんじゃこ、ごま、削り節…適量
しょう油…少々

**作り方**

1. かぶの葉を塩ゆでし、細かくきざむ。
2. フライパンでかぶの葉を空いりし、水分がとんだらじゃこ、ごま、削り節を加え、いりつける。
3. 仕上げにしょう油少々をたらす。

# にんじん
## 人参
carrot

## たっぷりのカロテンで免疫力をアップする

原産地はアフガニスタン。トルコを経てヨーロッパに伝わった西洋種とアジア東方に伝わった東洋種があります。日本には、江戸時代に中国から東洋種が伝わり、明治以降に西洋種が入りました。現在流通しているもののほとんどは西洋種です。

豊富に含まれるカロテンは、免疫力を高め、皮膚や粘膜を強くし、ガン、心臓病、動脈硬化などに効果があるといわれています。カリウム、カルシウムも豊富で、ビタミンCも含まれています。

### 五寸にんじん

葉がいきいきとした緑色で、元気がある

なめらかで、にんじん特有の赤みが強く、ハリがあるもの

### *Data*

**注目の栄養成分**
カロテン、ビタミンC、カリウム、カルシウム

**エネルギー**
35kcal／100g

**おいしい時期**
4月～7月、11月～12月

**保存**
ビニール袋に入れ、冷蔵庫の野菜室で立てて保存

### にんじんはビタミンCを壊す？

にんじんに含まれる酵素、アスコルビン酸オキシターゼは、還元型ビタミンCを酸化型にする働きがあり、「ビタミンCを壊す」と言われていた。しかし現在では酸化型も体内で還元型に戻ることがわかっており、その働きは同じとされている。

### 品種群

**「金時《きんとき》」**
お正月用に多く出回る、東洋種の京にんじん。鮮やかな赤い色はカロテンではなくリコピン。

**「金美《きんび》」**
中国系をかけ合わせた黄色い品種。クセがなく肉質はやわらかい。生食も可。長さは約20㎝。

**「島にんじん」**
沖縄の在来種。ごぼうのように細長い黄色にんじん。冬のみ出回る。

**ミニにんじん**
ベビーニンジンとも呼ばれる、10㎝ほどの小型種。丸のままサラダやつけ合わせなどに。

**紫にんじん**
表皮は紫だが、芯はオレンジ色のにんじん。カロテンのほかにアントシアニンを含む。

おいしいポイント　健康に効く　クッキングのコツ　安心のために

## にんじん嫌いの子どもが減ったわけ

二十数年前のデータによれば、にんじんは子どもの嫌いな野菜の2位だった。ところが近年の調査では、なんと好きな野菜の8位にランクイン。これはにんじんの品種改良が進んだからで、独特の香りが減り、甘みが増したため、クセがなくなって食べやすくなったのだ。ジュースの素材としても使われており、いまや子どもにとっては身近なおいしい野菜なのだろう。

### 皮の下には栄養たっぷり

たっぷり含まれるカロテンは表皮の下にもっとも多いので、できるだけむかないで調理しよう。そもそもにんじんは出荷される際、きれいに洗われているので、薄皮やヒゲ根はすでに処理されている。調理前に洗う程度で充分。

### 葉は栄養豊富

葉つきのものが手に入ったら、ぜひ食べよう。香りがよく、ビタミンCやカルシウムが豊富な葉は、天ぷら、おひたし、炒め物などに。かたい茎は下ゆでし、さらに細かくきざんでから調理すると気にならなくなる。

## おいしいコツ

### ラップで包む

使いかけのにんじんはラップで包み、冷蔵庫の野菜室で保存。

### ビニール袋に入れ、立てて保存

蒸れたり湿ったりすると傷むので、汗をかいてきたらこまめにふき取る。

### 美肌と目のための常備薬

にんじんはスライサーで細切りにし、熱湯をかける。湯で戻したレーズンを加え、塩、こしょう、ビネガー、オリーブ油、オレンジジュースで作ったドレッシングにひたす。1週間ほど保存が可能。

料理

### にんじんのペースト

**材料**

にんじん…2本
生クリーム…100cc
バター…適量
塩、こしょう…少々

**作り方**

1. にんじんを輪切りにし、やわらかくなるまでゆでる。
2. マッシャーでつぶし、熱いうちにバター、生クリームを加え、塩、こしょうで味を調える。

### 安心への下準備

タワシなどを使い、きちんと洗ってよく流す。

## 栽培分布図

生産量1位の北海道は秋にんじんの産地。2位の千葉は春夏と冬の2回。徳島は春夏、青森は春夏から秋にかけて。

## おいしいカレンダー

●旬

1　2　3　**4　5　6　7**　8　9　10　**11　12**

**春夏にんじん**（4～7）
千葉、徳島、愛知

**秋にんじん**（8～10）
北海道、青森

**冬にんじん**（11～12）
千葉、茨城、愛知

# じゃがいも
## 馬鈴薯
potato

## ビタミン豊富な主食になる野菜

原産地は、南米のアンデス山脈、チチカカ湖周辺。日本へは江戸時代に、オランダ船によって、長崎に伝えられました。ジャガタラ（現在のインドネシア、ジャカルタ）からやってきたいもというのが名前の由来です。本格的な栽培が始まったのは、明治以降で、北海道の開拓とともにアメリカから多くの品種が輸入され、現在に至っています。

主成分はでんぷんで、ビタミンCや$B_1$も豊富。主食にもなる野菜として、世界じゅうで栽培される主要作物です。

ビタミンCはでんぷんに包まれているので、保存時や加熱時に壊れにくいのが特徴。カリウムやナイアシンも、比較的多く含まれています。

芽が出ておらず、持ったときに重量感があるもの
傷がなく、なめらかでしなびていないもの
みずみずしく、「す」が入っていないものがよい

「男爵《だんしゃく》」
球形で果肉は白く、粉質。粉ふきいもやマッシュポテト向き。

**Data**

**注目の栄養成分**
でんぷん、ビタミンC、$B_1$、カリウム、ナイアシン

**エネルギー**
59kcal／100g

**おいしい時期**
５月～７月

**保存**
新聞紙に包んで冷暗所に

### じゃがいもはトマトの仲間？

じゃがいもは何科の植物か？答えはナス科。トマトやなすの仲間で、トマトとじゃがいもが融合した夢の野菜、〝ポマト〟を生み出そうと試みた研究者もいたが、今のところ成功していない。ところでいもの部分は根？　茎？　じつは正確には茎である。

品種群

# 「粉質」と「粘質」料理に合わせて品種を選ぼう

男爵とメークイン以外にも、品種はたくさんあります。食感がホクホクとした粉質か、ねっとりとした粘質か、どんな料理に向いているのかなどの特性を理解し、おいしく食べましょう。

## 「レッドムーン」

赤い表皮に黄色の果肉が鮮やか。粘質で煮物向き。形が似ているので、レッドメークインと呼ばれることもある。

## 「北海こがね」

外観は細長く、果肉はやや黄色い。どちらかというとねっとり系で、フライドポテトに向いている。皮をむいたあとの変色が少ない。

## 「インカのめざめ」

話題沸騰の人気品種。別名「アンデスの栗じゃが」。鮮やかな黄色の果肉は、ホクホクの粉質系。甘みがあり栗やナッツに似た風味をもつ。蒸しただけでも充分おいしい。

## 「キタアカリ」

明るい黄色の果肉が特徴的。最近生産量が増えている人気品種。肉質はホクホクとした粉質。

## 「ジャガキッズレッド」

球形のいもで赤皮。果肉は黄色。ホクホク系だが、舌ざわりはなめらか。サラダ向き。

## 「スタールビー」

比較的新しい品種。表皮は赤く果肉はやや黄色。ふかすとホクホク、煮るとねっとりと、中間の性質をもつ。

## 「とうや」

果肉は黄色で粘質。なめらかな食感。煮くずれが少ないので、煮物向き。

## 「十勝こがね」

果肉は淡い黄色。ホクホクとねっとりのバランスがよく、とくにフライドポテトにぴったり。比較的長期保存できる。

## 「メークイン」

細長い卵形をしており、果肉は淡い黄色できめが細かい。粘質の代表品種で、煮くずれが少なく、煮物向き。

## 「キタムラサキ」

皮も果肉も紫色のめずらしいいも。アントシアニンを含んでいる。肉質はやや粘質で煮くずれは少ないが、ゆでると色が出るのでフライ向き。

## その使い道は？

おもな利用法は「生食」「加工食品」「でんぷん原料」の3つです。

生食用とは家庭やレストランなどで消費される料理用のことで、国内総生産量の約3割を占めています。加工用は、ポテトチップスやポテトサラダにされるもの。味のほかに色がわりの有無や皮のむきやすさ、熱伝導の早さなどの点から選ばれており、約2割弱が加工用に使われています。

でんぷん原料とは、おもにかたくり粉や麺類の原料となるもので、国内総生産量のなんと4割程度を占めています。

## 食べてはいけない芽&緑化

じゃがいもは通常、収穫後約3か月程度は休眠状態に入るので、その間は常温にあっても発芽はしないものです。しかしこれは品種によって大きな差があり、休眠が短いものもあります。

芽の部分にはソラニンという毒素が含まれています。これを大量に摂ると下痢、腹痛、吐き気、めまいなどの症状があらわれます。また、日光にあたって緑色になった部分にもソラニンが含まれているので、どちらもすべて取り除いてから使いましょう。

## 皮つきで丸ごとゆでる

むらなくほっくりゆでたいときは、皮つきのまま水からゆでましょう。皮は熱いうちにむきます。忙しいときやマッシュポテトにする場合は皮をむき、切ってからゆでます。ただしゆで上がりは少し水っぽくなります。電子レンジを使う場合は、濡らしたキッチンペーパーで包み、ラップでくるんでから4～5分（中玉の場合）加熱。途中で天地を返すとよいでしょう。

## おいしいコツ

### りんごといっしょに新聞紙でくるむ

りんごが出すエチレンの作用で、芽の生長が抑えられ、保存可能な期間が延びるといわれている。

### 切ったら水にさらす

酸化による変色を防ぐため、切ったらすぐ水にさらす。アク抜きにもなる。

### すりおろしを活用しよう

すりおろしたら小麦粉を混ぜてフライパンやホットプレートで焼くと、ふんわりやわらかなお焼きになる。ニラやキムチを入れれば韓国チヂミ風。牛乳や砂糖を加えればパンケーキ風に。離乳食にもぴったり。

### 安心への下準備

たわしできれいに洗う。芽は取り残しがないよう、しっかりくり抜こう。きちんと水にさらすと、さらによい。

料理

## 世界の「おふくろの味」じゃがいも料理

### 肉じゃが（日本）

**材料**

じゃがいも…中3～4個
たまねぎ、にんじん…適量
牛肉、しらたき…各200g
だし汁、しょう油、砂糖、みりん、酒…適量
さやいんげん…少々

**作り方**

1. 野菜としらたきはそれぞれ下ごしらえしておく。牛肉は食べやすい大きさに切る。
2. 肉を炒め、にんじん、たまねぎ、しらたき、じゃがいもの順に加える。油が回ったら、ひたひたになる程度だし汁を注ぎ、調味して中火で煮込む。
3. 火を止め、味がなじんだら器に盛り、彩りにゆでたさやいんげんを飾る。

### ジャケットポテト（イギリス）

**材料**

じゃがいも…中1個
ポークビーンズ…適量

**作り方**

1. じゃがいもはよく洗い、皮つきのままゆでる。
2. いもに十字の切り込みを入れ焼き色をつけて、好みのソースや具をのせる（ここではポークビーンズをトッピング）。野菜サラダを添えれば、ランチにもぴったり。

### ヤンソンの誘惑（スウェーデン）

**材料**

じゃがいも…中2個
アンチョビフィレ…4枚
生クリーム…100cc
塩、こしょう…少々

**作り方**

1. じゃがいもを薄切りにし、サッとゆでる。
2. 耐熱皿に **1** を並べ、きざんだアンチョビをまんべんなくのせ、塩、こしょうをふる。
3. 生クリームをかけ、焦げ色がつくまでオーブントースターで焼く。

### ニョッキ（イタリア）

**材料**

じゃがいも…中4～5個
卵黄…1個ぶん
パルメザンチーズ…大さじ2
小麦粉…100g
塩、こしょう…少々

**作り方**

1. 皮をつけたままじゃがいもをゆで、熱いうちに皮をむいてつぶしておく。
2. **1** にパルメザンチーズ、塩、こしょう、卵黄を入れて混ぜ、小麦粉を加えてまとめたら、しばらく寝かせる（粉を加えてからは混ぜすぎないように）。
3. 打ち粉をした台の上で細長く伸ばし、ひと口大に切り分けてフォークで筋をつける。
4. たっぷりの湯でゆで、器に盛ったら好みのソース（ここではトマトソース）をかける。

## 栽培分布図

春植えの約80%が北海道産。秋植えの約40%が長崎で生産されている。

## おいしいカレンダー

● 旬

1 2 3 4 5 6 7 8 9 10 11 12

| 時期 | 名称 | 産地 |
|---|---|---|
| 1～3月 | 秋植えもの | |
| 5～6月 | 新じゃが | 長崎 |
| 7～11月 | 春植えもの | 北海道 |
| 12月 | | |

新じゃがは暖地産が5～6月、北海道産が7月ごろに出回る。

いも類

# 甘藷《かんしょ》
# さつまいも

sweet potato

## 食物繊維たっぷりで美容に効果大

中央アメリカを原産地とし、紀元前から栽培されていたことがわかっています。コロンブスがヨーロッパに伝え、日本では江戸時代に栽培が始まりました。やせた土地でも育つので、飢饉《ききん》の際に多くの人々を救いました。

主成分はでんぷんで、加熱すると一部が糖質にかわり甘みが増します。しかしカロリーは米や小麦の三分の一程度と低く、ビタミンCや食物繊維がたっぷり含まれているので、体の外も内もきれいにしてくれる、女性にうれしい野菜です。

ほかにもビタミンEやカリウム、カルシウム、マグネシウム、銅などのミネラルも比較的多く含まれています。

「紅《べに》アズマ」

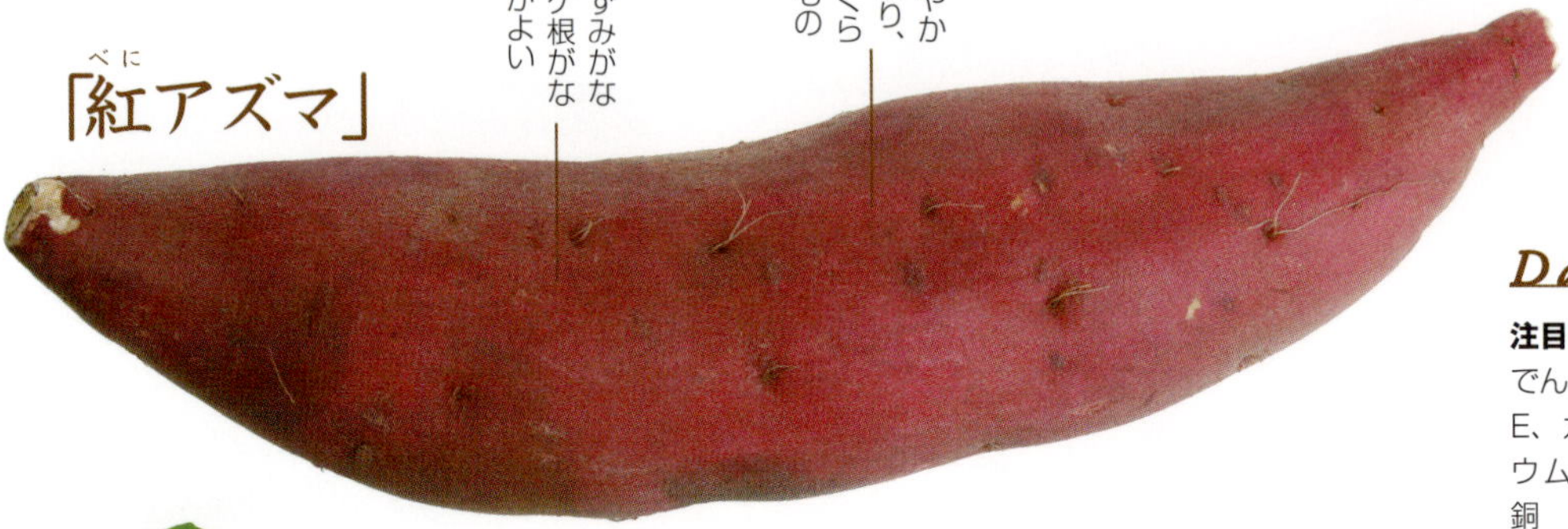

皮の色が鮮やかで、ハリがあり、中央がふっくらとしているもの

傷や黒ずみがなく、ヒゲ根がないものがよい

**Data**

**注目の栄養成分**
でんぷん、ビタミンC、E、カリウム、カルシウム、マグネシウム、銅

**エネルギー**
127kcal／100g

**おいしい時期**
9月～11月

**保存**
寒さに弱いので、新聞紙に包んで冷暗所に。使いかけはラップに包んで冷蔵庫へ

### 葉柄もおいしい

さつまいもの葉柄（葉の下の茎のような部分）は皮をむき、きんぴら風に煮つけるとおいしいおかずに。ほのかにさつまいもの甘い香りがする。最近は葉柄専用の品種も生まれてきた。

みずみずしいもの。「す」が入っているものは古い

### 品種群

「鳴門金時《なるときんとき》」

西日本を中心に作られている代表的な品種。上品な甘さと見ための美しさを兼ね備えている。

「安納《あんのう》いも」

種子島特産。オレンジ色の果肉にはカロテンが含まれている。甘みが強く、ねっとり系。

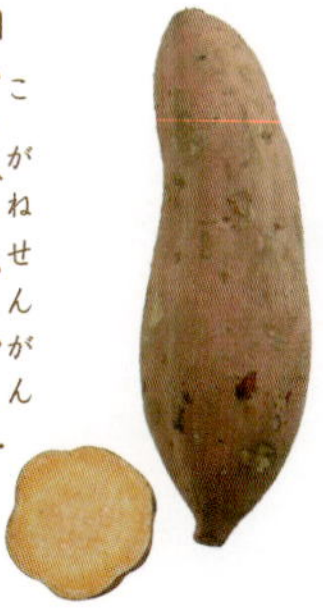

「黄金千貫《こがねせんがん》」

焼酎の原料としても有名。果肉は白。さらりとした甘みとねっとりとした食感で、食べても美味。

# 人気急上昇。注目の紫いもって？

紫いもソフトクリームに紫いもチップス…紫いもを使った食品が人気です。単に色がめずらしいという理由だけでなく、その成分の機能性が注目されているのです。

色素に含まれるアントシアニンは、ブルーベリーや赤ワインに多く含まれているポリフェノールの一種。活性酸素を抑える抗酸化物質を多く含み、生活習慣病や老化の予防に高い効果があるといわれています。また視力と肝臓の機能を向上させ、血圧の降下を促す働きも知られています。

「パープルスイートロード」

従来の紫いもと比べると段違いに味がいいと評判の品種。甘みもたっぷり。

## おいしいコツ

### 水にさらす

アクが強く、空気にふれると黒く変色するので、切ったらすぐ水にさらす。アクは皮の下にあるので、むく場合は厚めに。

### おいしい焼きいもを作る

さつまいもに含まれるでんぷん分解酵素アミラーゼの働きは、ゆっくり加熱することで活発になり、これによって甘くなる。家庭ではオーブンを使い、250℃で30分ほどじっくり焼くとおいしい焼きいもができる。

### 干しいも

蒸したいもをスライスして天日干しにしたもの。茨城県ひたちなか市での生産がさかん。栄養価が高く、食物繊維を豊富に含むため、整腸や美肌作用が期待できる。軽くあぶると、さらに甘みが増す。

## 料理

## さつまいもを使った甘くないレシピ

### 具だくさんみそ汁

**材料**

さつまいも…１本
たまねぎ、にんじん、ごぼう、こんにゃく、ねぎ…適量
豚ばら肉…100g
だし汁…適量
しょう油、みそ…適量

**作り方**

1. さつまいもは皮をむき、ひと口大に切る。ほかの材料も下ごしらえしておく。
2. 鍋に野菜とこんにゃくを入れ、かぶる程度の水を入れて火にかけ、アクを取りつつやわらかくなるまで煮る。
3. だし汁をたし、豚肉を入れてアクを取ってから、しょう油とみそで味をつける。
4. 盛りつけてからきざみねぎをのせる。

### さつまいもご飯

**材料**

さつまいも…２本
米…２合
こんぶ、だし汁…適量
塩、酒…適量
ごま塩…少々

**作り方**

1. さつまいもはよく洗い、皮つきのままさいころ大に切り、水にさらす。
2. 米をとぎ、だし汁、酒、塩を入れてから水加減をし、こんぶとさつまいもを入れて炊く。
3. 茶わんに盛りつけ、ごま塩をふる。

## 栽培分布図

でんぷん用のものを含めると鹿児島の収穫量が１位だが、野菜としては茨城、千葉産が多い。

## おいしいカレンダー

●旬

1　2　3　4　5　6　7　8　**9**　**10**　**11**　12

茨城、千葉、徳島（1〜6月）
香川、高知（7月）

秋に収穫したあと、土中や雪用の貯蔵庫で保管され、６月ごろまで順次出荷される。

いも類

# やまのいも

## 山芋

yam

### Data

**注目の栄養成分**

でんぷん、マンナン、ビタミンＢ群、C、カリウム、食物繊維

**エネルギー**

自然薯：

118kcal／100ｇ

長いも：

64kcal／100ｇ

**おいしい時期**

10月～3月

**保存**

保湿のため新聞紙に包んで、冷暗所に

## 生で食べられる唯一のいも

種類は、日本の山野に古代から自生する自然薯、こん棒のような長いも、扁平で扇状のいちょういも、こぶし状のつくねいも（大和《やまと》いも）などがあります。

主成分のでんぷんは、加熱が必要ですが、でんぷん分解酵素のジアスターゼが豊富に含まれており消化を助けるため、生でも食べられます。

胃の粘膜を保護し消化吸収を助けるマンナン、ビタミンB群、C、カリウムなどのミネラル、食物繊維がバランスよく含まれる健康食材です。

中国では、漢方薬として利用されるほど消化促進、滋養強壮効果が高く、老化予防、肌荒れ予防、疲労回復、便秘改善などの効果があるといわれています。

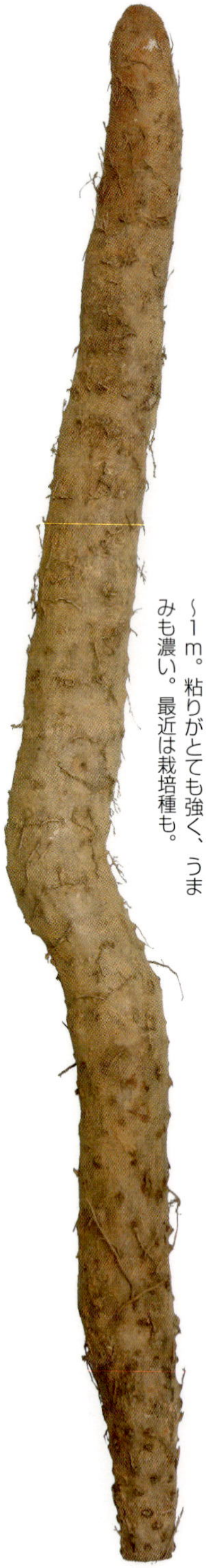

### 自然薯《じねんじょ》

自生している野生種。長さは60㎝～1ｍ。粘りがとても強く、うまみも濃い。最近は栽培種も。

### 長いも

長い棒状のいも。きめはやや粗く、水分も多い。やまのいもとしていちばん多く流通している栽培品種。

切り口が変色しておらず、白くみずみずしいいものが新鮮

品種群

### つくねいも

げんこつのような形。粘り気はとても強く貯蔵性も高い。和菓子の原料にも。関西では大和いもとも呼ばれている。

### いちょういも

その扁平な形がいちょうの葉に似ている。粘りが強く、関東では大和いもとも呼ばれている。

# 加熱調理で食感が自由自在

きざんだものを生で食べると、シャキシャキした歯ごたえがあります。しかし熱を加えるにしたがってその食感はかわり、サクサクからホクホクへと移っていきます。炒めたり焼いたりする場合は、どのあたりで火を止めるかによって、歯ざわりがかわってくるというわけです。

すりおろしたものも、生だとトロトロですが、加熱するとフワフワに変化します。温めた汁に流し込み、団子状にしても、ホットプレートやフライパンでパンケーキのように焼いても、フワフワと食べやすく、子どもや高齢者に喜ばれます。

加熱すると消化酵素は減少しますが、その代わり多様な食感が楽しめるようになるのです。

## むかご

長いもや自然薯の葉のつけ根にできる小豆大の小さないも（球芽）がむかご。土に埋めておくと発芽することから、この形は子孫を残すための手段と考えられる。

香りとコクがあるむかごは炊き込みご飯や汁の具、ゆでてからいるなどして食べる。

## おいしいコツ

### ラップで包む

使いかけのやまのいもは切り口が乾かないよう、ラップできっちり包んで冷蔵庫の野菜室へ。

### 冷凍保存

すりおろしたら小分けして冷凍保存。やまかけやお好み焼きのつなぎなど、少量必要なときに便利。

### すり鉢であたるとよりなめらかに

やまのいもはすりおろしたあと、すり鉢であたると口あたりがなめらかになる。だし汁を少しずつ加える場合も、すり鉢であたりながらのばしていくとよい。

## 料理

### 長いもときのこのバターソテー

**材料**

長いも…½本
きのこ（エリンギ、まいたけなど）…適量
バター、しょう油…適量

**作り方**

1. 長いもは皮をむいて輪切りにする。きのこ類は食べやすい大きさにしておく。
2. バターを熱し、長いもを炒め、焼き色がついたらきのこを加えて炒め合わせる。
3. 仕上げにしょう油をたらす。

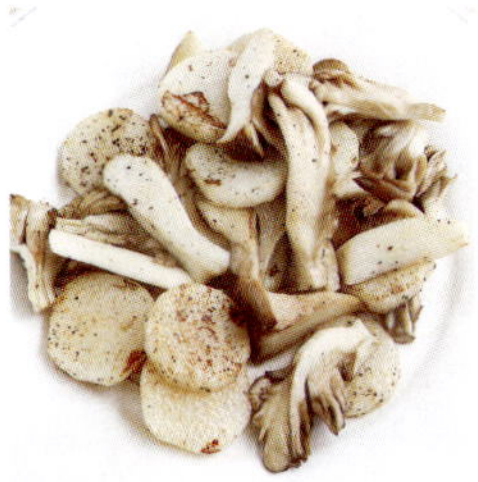

### 長いものいそべ焼き風

**材料**

長いも…½本
小麦粉…大さじ１
ちりめんじゃこ…適量
焼きのり…適量

**作り方**

1. すりおろした長いもに、小麦粉とじゃこを混ぜる。
2. 適量をフライパンに落として両面を焼き、のりを巻く。
3. 食べるときはしょう油をつけて。

## 栽培分布図

青森、北海道、茨城、千葉、群馬など。

## おいしいカレンダー

● 旬

1　2　3　4　5　6　7　8　9　10　11　12

周年

保存性が高く周年出回るが、収穫は晩秋から冬。

いも類

# さといも

## 里芋

taro

### いもの中ではもっとも低カロリー

山で採れる山いもに対し、里で採れるから里いもと呼ばれています。日本には、中国を経て縄文時代に渡来したといわれる、歴史ある野菜です。

主成分はでんぷん質。このでんぷんは加熱すると糊化し、消化吸収しやすくなります。カリウムはいも類の中でいちばん多く、高血圧予防に効果的です。

たんぱく質、ビタミンB群、Cなどを含み、栄養価が高いのが特徴。しかも食物繊維も豊富で水分が多いため、意外に低カロリー。体重が気になる人にもおすすめです。

ぬめり成分のひとつであるガラクタンは、脳細胞を活性化させ、免疫力を高める効果があるといわれています。

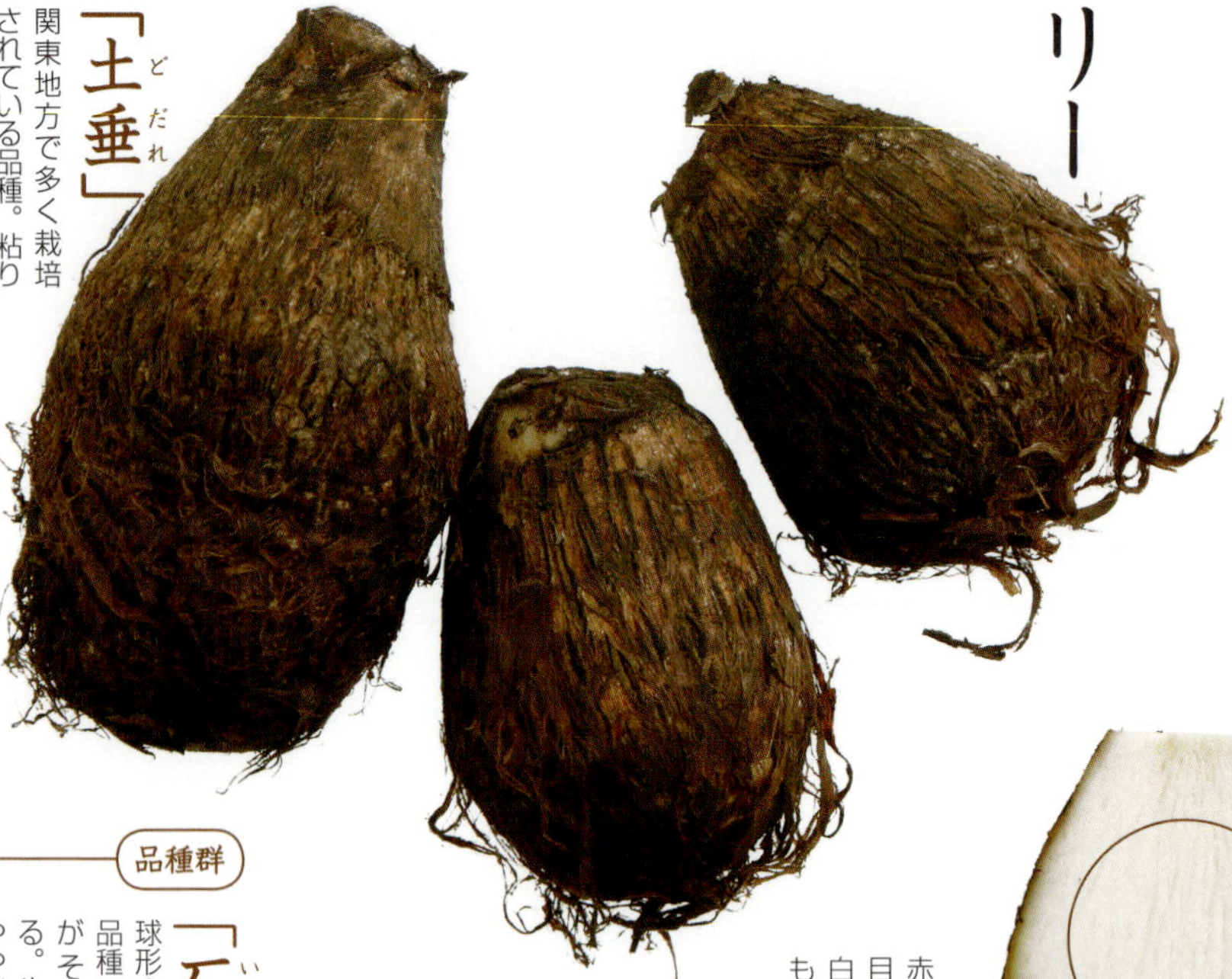

「土垂《どだれ》」

関東地方で多く栽培されている品種。粘りが強く、やわらかい

赤いはん点や網目、変色がなく、白くてツヤのあるものがおいしい

**Data**

**注目の栄養成分**
でんぷん、たんぱく質、ビタミンB群、C、食物繊維、ガラクタン

**エネルギー**
53kcal／100g

**おいしい時期**
9月～11月

**保存**
寒さと乾燥が苦手。新聞紙に包んで冷暗所に

品種群

「石川早生《いしかわわせ》」

球形の小いも用品種で、大きさがそろっている。やわらかくやや淡白。蒸して食べるきぬかつぎにも。

京いも

別名「たけのこいも」。小いもをつけず、肥大する親いもを食べる。地上に伸びる姿が、たけのこに似ている。

#### 栽培分布図

秋冬をはじめ、年間を通して、千葉、埼玉、宮崎産などが多い。春夏は鹿児島産などが多い。

#### おいしいカレンダー

●旬

1 2 3 4 5 6 7 8 ●9 ●10 ●11 12

8月～12月は関東産が多く、
10月～3月は九州産が多い。

## 秋の風物詩「いも煮会」

全国各地でおこなわれる秋の名物「いも煮会」。その歴史は古く、江戸時代、米の不作に備えてさといもを栽培していた東北地方の農民たちが、収穫祭的意味合いで始めたといわれています。今では秋の屋外行事として、学校のイベントから町おこしまで「いも煮会」も多様化しています。

### おいしいコツ

### おしりをチェック

泥と皮に包まれている里いもの良し悪しを見るには、おしりをチェックする。フカフカしていたら傷んでいる証拠。

### つるりとむける皮のむき方

よく洗って泥を落としたら、熱湯で３分ほどゆで、冷水にとってから手でむくと、かたい外皮だけがつるりとむける。
手はかゆくならないし、特徴であるぬめりやうまみも残る。これは皮むきのための下処理で、完全には火は通っていない状態。

### いものつき方

中心の大きないも（親いも）とそれを囲むようにつく子いも、さらにそのまわりには孫いもがついている。その形状から、里いもは子孫繁栄の象徴ともいわれる。写真の品種「土垂」では親いもは食べない。

料理

### 里いもとイカの煮物

**材料**

里いも…１袋
イカ…１杯
だし汁、しょう油、みりん、酒…適量

**作り方**

1. 里いもは皮をむき、食べやすい大きさに切る。イカはわたを取り、輪切りにする。
2. 鍋にだし汁、しょう油、みりん、酒を入れて煮立て、イカをサッと煮ていったん取り出す。
3. ２の煮汁に里いもを入れ、落としぶたをして煮る。いもがやわらかくなったらイカを戻し、ひと煮立ちしたら火を止めて味をなじませる。

### いもがらって何？

いもがらとは茎のことで、「ずいき」と呼ぶ地域もある。生のものと乾燥させたものがあり、生のものは皮をむいてからゆで、アクをぬいて煮物やみそ汁の具に。酢の物にすると色鮮やかになる。乾物は水で戻してから煮物、炒め物に。「蓮芋（はすいも）」は、いもがら用の品種。

### 民間療法

さといもは昔から「いも薬」と呼ばれ、湿布薬として利用されてきた。皮をむいてからすりおろし、同量程度の小麦粉と混ぜ合わせる。これにおろししょうがを加えてよく練り、布にとって患部にあてると、打撲やねんざ、関節痛、神経痛などの消炎に効果があるとされた。

# ヤーコン

yacon

## フラクトオリゴ糖をもっとも多く含む野菜

近年、健康野菜として注目されているヤーコンは、南米アンデス高地原産のキク科の根菜。インカ帝国の時代から果物のような野菜として親しまれていたそうです。

さつまいもに似ていますが、味や歯ざわりはなしに似ていて、シャキシャキした食感を活かして生のままサラダにしたり、サッと炒めたりして食べます。

主成分はフラクトオリゴ糖と食物繊維で、フラクトオリゴ糖の含有量は作物の中でいちばん。腸内のビフィズス菌を増やし、腸の機能を整えるので、食物繊維とともに便秘改善に大きな効果があります。ほかに、カテキン、テルペン類、ミネラル類を多く含みます。

### Data

**注目の栄養成分**
フラクトオリゴ糖、食物繊維、カテキン、テルペン類

**エネルギー**
52kcal／100g

**おいしい時期**
10月～12月

**保存**
土つきのまま新聞紙に包んで、冷蔵庫で３～４日

全体がふっくらとして、重みのあるもの

ほんのり黄からオレンジがかった色で、みずみずしいもの

### 水にさらす

切って空気にふれると変色するため、サッと水にさらす。このアクは有効なポリフェノールの一種なので、ほどほどに。

### 葉はお茶に

ヤーコンの葉には、血糖値の上昇を抑えるインスリンに似た効果があることがわかり、糖尿病や高血圧の予防にお茶にして飲まれるようになった。
また血液中の中性脂肪やコレステロール、肝臓の中性脂肪が低下する効能も発表され、ダイエット効果も期待されている。

料理

## 甘みを控えて作れるレシピ

### ヤーコンのきんぴら

**材料**
ヤーコン…１本
しょう油、みりん…適量
ごま油…適量
ごま…少々

**作り方**
1. ヤーコンは千切りにし、サッと水にさらす。
2. ごま油でヤーコンを炒め、しょう油とみりんで味をつける。
3. 器に盛り、ごまを散らす。

淡色野菜

# ウコン
鬱金
turmeric

## クルクミンパワーの秘密

カレーのスパイス、ターメリックとしても知られる熱帯アジア原産の多年草植物で、肝臓を保護する効果のある野菜として注目されています。

一般的に、秋に花をつけるウコンを秋ウコン、春に花をつけるキョウオウを春ウコン、切り口が淡紫のガジュツを紫ウコンと呼びますが、本来のウコンは秋ウコンをさします。

肝機能を強化し、胆汁分泌を促進する色素成分のクルクミンをはじめ、ターメロン、シネオール、クルクミン、クルクモール、エレメン、フラボノイド、アズレンなど、肝臓や胃をすこやかにし、ガンを予防する効果があるといわれる精油成分を多く含んでいます。

### Data

**注目の栄養成分**
クルクミン、ターメロン、シネオール、フラボノイド

**おいしい時期**
11月

**保存**
しっかり乾燥させて保存

スパイスとしてカレーには欠かせない、ターメリックもこのウコン。

しょうがによく似た外観。皮がしなびていないものを

鮮やかな黄色からオレンジで、スカスカしていないもの

### 春ウコンと秋ウコンの違い

春にピンクの花をつける「春ウコン」、秋に白い花をつける「秋ウコン」。秋ウコンのほうがクルクミンが多く、薬効範囲が広いが、苦みが強い春ウコンのほうが消化器系に有効ともいわれている。

### 生ウコンの使い方

生ウコンはスライスしてからザルに広げて陰干しし、乾物に。これをお茶として飲むほか、粉末にして料理にも。
あるいは生ウコンのスライスに砂糖を加え、焼酎に漬けたウコン酒（写真右）を作るのもよいだろう。

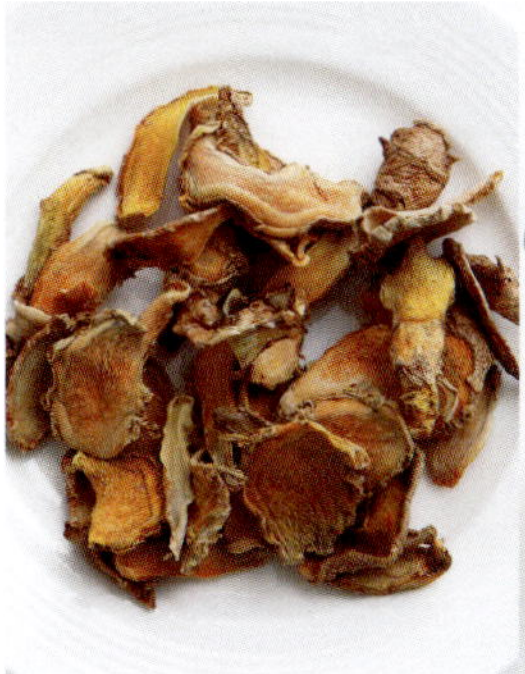

淡色野菜

# ごぼう

牛蒡

edible burdock

## 食物繊維がたっぷりで腸内環境を整える

ユーラシア大陸北部原産で、平安時代に中国から薬草として渡来したといわれています。独特の香りや歯ごたえをもち、古くから親しまれていますが、日本以外で食べている国はほとんどないようです。

ごぼうに含まれる多糖類のイヌリンや繊維質のセルロース、リグニンの含有量は、野菜の中でもトップクラス。いずれも便秘の解消、整腸、動脈硬化やガンの予防などに効果があります。

また、イヌリンは血糖値を下げる働きがあるので、糖尿病にも有効だといわれています。カリウム、マグネシウム、亜鉛、銅などのミネラル成分も多く含まれています。

### アクはうまみ

水にさらすと出る色は、じつはポリフェノール。皮につまったうまみ成分も抜けてしまうので、アク抜きの必要はない。

### 肉や魚との相性抜群

ごぼうのポリフェノールにはにおいを消す効果があるため、肉や魚といっしょに調理されることが多い。

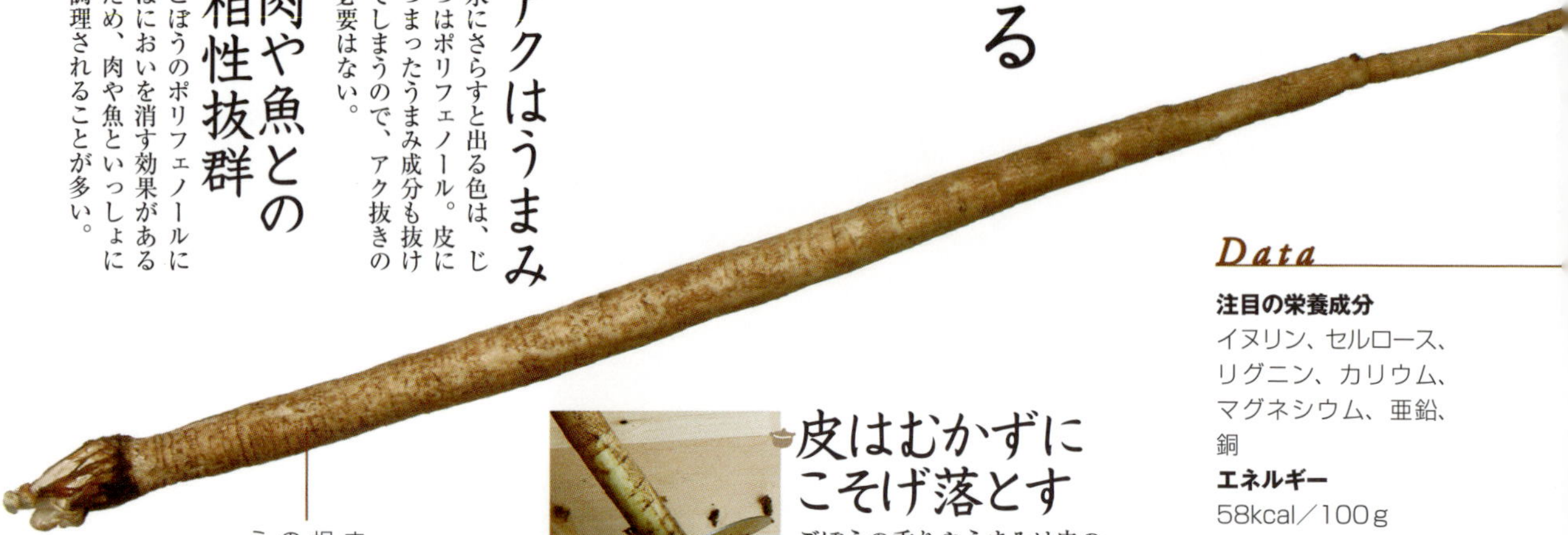

まっすぐでヒゲ根が少ないもの。泥つきのほうが風味が強い

### 皮はむかずにこそげ落とす

ごぼうの香りやうまみは皮の部分に含まれているので、泥や汚れはたわしなどでこすってよく洗い、包丁で表面をこそげ落とす程度にする。

### ささがきごぼう

太い部分には縦に切り込みを入れておき、回しながら鉛筆を削るように薄く切り出す。

**Data**

**注目の栄養成分**
イヌリン、セルロース、リグニン、カリウム、マグネシウム、亜鉛、銅

**エネルギー**
58kcal／100g

**おいしい時期**
４月～５月、11月～１月
新ごぼう：６月～７月

**保存**
泥つきのまま新聞紙に包み、冷暗所に。洗ってあるものは冷蔵庫へ

品種群

### 「大浦ごぼう」

千葉県匝瑳市大浦地区の特産。直径が10㎝、長さが１mと大きなごぼうで、空洞になった中に肉などをつめた料理が有名。

料理

### ごぼうチップス

**材料**
ごぼう…２本
しょう油、みりん…適量
油…適量
ごま…少々

**作り方**
1. ごぼうはスライサーで薄切りにする。サッと水にさらし、よく水気をふき取る。
2. 160℃の油でパリッと揚げる。
3. しょう油とみりんを煮立て、揚げたごぼうにからめ、仕上げにごまをふる。

# れんこん
## 蓮根
lotus root

## アクはポリフェノールの一種タンニン

れんこんは奈良時代に中国から渡来し、各地に伝播したと考えられていますが、現在市場に出回っているものは、明治以降に入ってきた中国種です。

淡泊な見かけによらずビタミンCが多く、カリウム、カルシウム、鉄、銅などのミネラルも豊富です。また、野菜にはめずらしいビタミン$B_1$、$B_2$が含まれており、貧血予防に効果があります。

すぐに変色しますが、その原因がポリフェノールの一種、タンニンです。タンニンには抗酸化作用、消炎、収れん作用があります。

不溶性の食物繊維やねばりの成分ムチンも豊富で、便秘の改善や整腸、粘膜や胃の保護など、美容と健康に効果があるたのもしい野菜です。

色むらや傷がなく、ふっくらと厚みがあり、重みのあるもの

茶色く変色しておらず、白くみずみずしいもの。穴の中が黒くなっているものは古い

### Data

**注目の栄養成分**
でんぷん、ビタミンC、$B_1$、$B_2$、鉄、銅、タンニン、ムチン、食物繊維

**エネルギー**
66kcal／100g

**おいしい時期**
11月～3月

**保存**
丸ごと新聞紙とビニール袋に包み、冷蔵庫で4～5日

### 料理に応じた切り方、さらし方

れんこんのかたい繊維をどう切るかで食感が大きくかわる。シャキシャキ仕上げたいきんぴらなら、輪切り（横切り）がよい。ホクホク仕上げたい煮物には、乱切りがおすすめ。ただし酢水に浸けたれんこんは加熱してもホクホクにならないので、煮物用には酢は不要。

### のどに効く「れんこん湯」

成分のタンニンにはせき止め効果がある。のどの痛みにれんこん湯はいかが？

れんこんを皮つきのまま丸ごとすりおろし、しょう油と塩で味をつけてから布でこす。これにしょうがのしぼり汁少々を加え、くず粉を入れてよく練り、熱湯でのばす。残ったれんこんは肉団子の具などに有効利用しよう。

料理

### れんこんのスープ

**材料**
れんこん…適量
だし汁、しょう油…適量

**作り方**
1. れんこんはおろし金ですりおろす。
2. だし汁を煮立て、おろしたれんこんを入れる。
3. 沸騰するととろみがつくので、しょう油で味を調える。

淡色野菜

# たけのこ
筍
bamboo shoot

## うまみ成分と食物繊維がたっぷり

『古事記』にも記述があり、古くから食べられていたようですが、現在流通しているもの（竹）の大部分の原産地は中国です。

やわらかい先端部分（姫皮）は、酢の物や和え物に、穂先は炊き込みご飯に向いています。歯ごたえのある中央部分は、煮物や炒め物に幅広く使えます。

栄養価は高くありませんが、食物繊維セルロースが豊富で、たんぱく質、ビタミン$B_1$、$B_2$、カリウムを含みます。アミノ酸の一種であるグルタミン酸、チロシン、アスパラギン酸を含み、これらはうまみのもとといえる成分です。

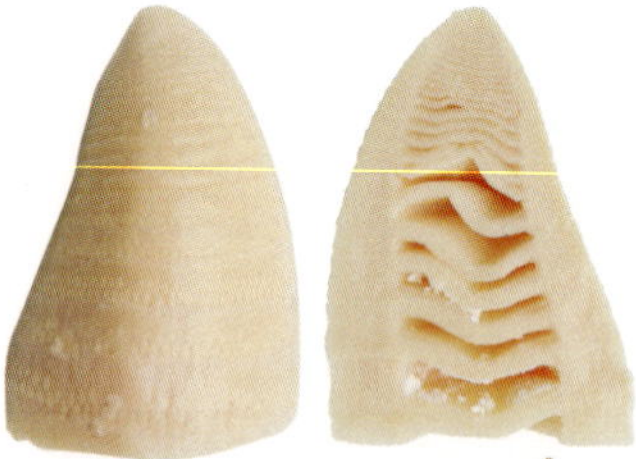

### 水煮たけのこの白い粉

切り口に見られる白い粉はアクではなく、チロシンというアミノ酸の一種。チロシンを摂取すると脳内物質のドーパミンが増加し、気力がアップするという効果のあることがわかっている。白い粉は洗い流さず、そのまま食べよう。

小ぶりで、ずっしりしており、皮が淡黄色でツヤのよいもの

鮮度が命なので、切り口をチェックしよう。変色しておらず、みずみずしく、白いものを選ぶ

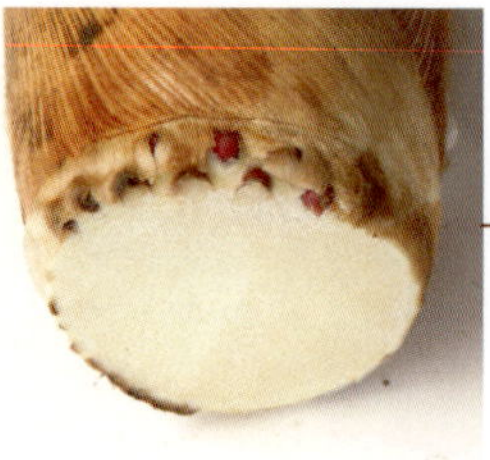

### Data

**注目の栄養成分**
ビタミン$B_1$、$B_2$、カリウム、チロシン、グルタミン酸、アスパラギン酸、食物繊維

**エネルギー**
27kcal／100g

**おいしい時期**
4月～5月

**保存**
エグみが出るので、すぐにゆでる。ゆでたものは水にひたし、冷蔵庫で１週間

### 種類と旬

孟宗竹（もうそうちく）は3月中旬～5月ごろ、淡竹（はちく）がそれに続き、真竹（まだけ）や根曲がり竹（ねまがりだけ）が5～6月ごろに出回る。

### 上手なゆで方

皮つきのまま先端を大きく斜めに切り、皮の部分に縦に切り込みを入れる。ぬかひとつかみとともに大鍋で水からゆで、沸騰したら弱火にして40～50分ゆでる。根元に竹串が通るようになったら火を止め、そのままゆで湯ごと冷ます。

根

いも類

# こんにゃく

蒟蒻 elephant's foot

## 食物繊維のグルコマンナンは優秀な腸内掃除屋

こんにゃくの原料となるこんにゃくいもは里いも科で、原産地はインドシナ半島といわれています。日本へは、縄文時代に里いもなどとともに渡来したという説があります。

作り方は、こんにゃくいもの切り干しを粉にし、水と水酸化カルシウムを加えて固め、熱湯でアクを抜いて形を整える、というものです。

低カロリー食品の代表選手ですが、カルシウムや食物繊維のグルコマンナンをたっぷりと含んでいます。グルコマンナンは水分を含むとふくらんで腸を刺激し、腸内の有害物質を排出します。この働きで便秘や大腸ガンを予防します。

また、血糖値、コレステロール値を下げる効果もあります。

こんにゃくの原料となる大きさになるまでに、3年かかる。群馬での生産がさかん。

### Data

**注目の栄養成分**

グルコマンナン、カルシウム

**エネルギー**

生いもこんにゃく：8kcal／100g

精粉こんにゃく：5kcal／100g

**保存**

開封後は水を張ったボールに入れ、冷蔵庫で数日

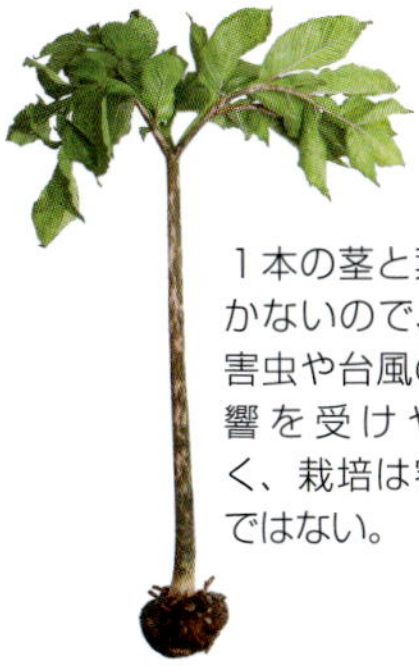

1本の茎と葉しかないので、病害虫や台風の影響を受けやすく、栽培は容易ではない。

### 黒と白の違いは？

生いもから作るこんにゃくは皮などが入って黒っぽくなる。江戸時代からこんにゃくいもを製粉して作るようになり、白いこんにゃくが生まれた。西日本は生いもからの製法が続いたこともあり、白こんにゃくが好まれないので、海藻のアラメ、ヒジキ、カジメなどを入れて黒くしているのだ。

## アク抜き3種

### いる

鍋に入れて中火にかけ、空いりする。水分とともに、臭みやアクが出てくる。

### ゆでる

熱湯でサッとゆでる。鍋用の糸こんにゃくの下処理などに。

### たたく

塩をふり、麺棒で軽くたたく。水分が出てきたら洗い流す。

# 精進料理「大《だい》本《ほん》山《ざん》總《そう》持《じ》寺《じ》典《てん》座《ぞ》」

「法食一等」仏教修行の中で
食事を尊い仏行と説いた高祖道元禅師。
精進は菜食でありながら
滋養を考えた巧みな知恵をもっている

# 道元の説いた「食」

精進料理とは、肉や魚を使わず、野菜、穀類、海藻類、豆類、きのこ、木の実、果実など植物性の食材を用いる料理のことです。

鎌倉時代、禅宗の僧侶によって伝えられた精進料理は、殺生を禁じ、身と心を清らかにするという教えの中から生まれました。

禅宗のひとつ、曹洞宗の開祖道元禅師は、日常のおこないすべてが仏の道を実践することであり、調理も、食事をいただくこと自体も仏教の実践であると説いたのです。

道元禅師が宋（中国）に渡り、老典座から受けた教え、すなわち調理から食事作法までを『典座教訓《てんぞきょうくん》』『赴粥飯法《ふしゅくはんぽう》』という2冊の書物に記しています。

鎌倉時代までの一般の食事は、魚鳥を用いる半面、味が薄く調理後に調味料を用いるなど、未発達な部分も多かったようです。それに比べて禅宗の精進料理は、菜食であっても、味がしっかりとしており、体を酷使して塩分を欲する武士や庶民にも満足のいく濃度の味つけがなされていました。

その後、安土桃山時代になり、千利休が創始した茶道では、精進料理は懐石料理へと変化していったわけです。

精進料理は、われわれ日本の食文化の根幹にあるものなのです。

# 典座《てんぞ》の話

曹洞宗大本山は福井永平寺と横浜鶴見の總持寺《そうじじ》をさします。

寺の中で食事いっさいを取り仕切っている部署を典座寮《てんぞりょう》と呼びます。總持寺で典座職を務めた小金山泰玄老師にお話をうかがいました。

「精進料理を特別なものと思っていませんか?」

お目にかかってすぐに、小金山老師はにこやかにこう語られました。

「修行で食べるもの、と聞くと口に合わないものを我慢して食べるような気がしませんか? でもここでお出しする料理は、どなたが食べられてもおいしいと感じていただけるよ

うに、工夫したものなのですよ」

厨房を見させていただくと食材がたくさんあり、その日は参籠（宿泊）者、参禅者に約200食の料理を用意するとか。

どれほど巨大な厨房かと想像しましたが、そこではわずか5名の若い僧侶が黙々と作業を進められていました。そして老師も手ずから包丁を握られ、てのひらにのせた山芋の皮を巧みにむきつつ語られました。

「若い彼らはたまたま配属されたのがここだっただけで、みなが料理に興味があるというわけではないのです。それまで包丁など握った経験がない、そんな者も少なくありません。まず野菜の名前や道具の使い方を教えるところから始まり、半年ほどたって、やっと仕事がこなせるようになります。そして彼らは6～9か月でまた別の部署に異動するのです。もったいないような気もしますが、状況をすべて受け入れること、これも修行なのですよ」

若い修行僧たちも、かぼちゃをひと口大に切りそろえ、さつまいもを素揚げし、5升もある大釜に炊きあがったご飯を混ぜています。その作業には無駄な動作も見えぬほど、「行」というべきていねいなものでした。

## 五つの基本

道元禅師が記した「典座教訓」には「五法」「五味」「五色」でもてなすという基本の考え方があり、これは日本料理の基礎にもつながっています。「五法」は調理方法のことで、生、煮る、焼く、揚げる、蒸す、を示します。

「五味」は甘味、塩味、酸味、辛味、苦味をさします。道元禅師の精進では、これに淡味を加え六味としました。

その「淡味」を「薄味」と解釈するのは間違いで、「淡味」とは単純な薄味ではなく、素材そのものの持ち味を活かす味つけのことなのです。

そして「五色」は料理の色のこと、白、黒、赤、黄、青（緑）をあらわします。米、海藻、大豆、根菜、葉菜といった食材の色から、お膳の色、清潔さや食欲、安心感といった意味も色に込められているのです。

この「五色五法五味」という基本をふまえていれば、栄養面も含め、バランスの取れた献立になることがわかるでしょう。

そして、もうひとつ重要なことが、ひとつのお膳の中に同一の食材を二度使わないことです。つまり、和え物ににんじんを使った日は、煮物にはにんじんを入れず、別の赤いものを使うということ。もしどうしても

使う場合は、切り方と調理方法をかえ、まったく別のものにかえてお出しすること。これは食材を余らせず、無駄なく使い切るという教えに基づいたものです。

## 下ごしらえこそていねいに

老師の仕事ぶりを拝見していると、野菜をひとつずつていねいに切っていることがよくわかります。

「形と大きさをそろえることが大切なのです。不ぞろいだと、煮たり揚げたりした際にムラができてしまいます」

単純な料理だからこそ、下ごしらえが重要になってくるのです。

こちらでよく使う野菜をうかがってみると、かぼちゃを筆頭に、さつまいも、じゃがいも、にんじん、ごぼうというなじみの野菜ばかり。どれも栄養価が高く、いろいろな調理法があり、貯蔵性がよいものです。

では、気になる野菜選びはどのようにされているのでしょうか?

「ここで使う材料はどこでも手に入るものばかりです。もちろん旬のものは積極的に使いますが、銘柄にこだわったり、高級品と呼ばれるような特別なものを使うことは、まったくありません。どんな素材を使ってもおいしいものを作ろうと、心を巡らせることが大切なのです」

さらに、こちらの精進料理ではねぎ、たまねぎ、にら、にんにくなどは使わないのだそうです。

「食べたあと、相手の方に不快感を与えるものは厳禁なのです。らっきょうやセロリも使いません」

においの強いものや刺激的なものは、好みが分かれることが多いのも、たしかです。

## 味つけ

精進料理で使う「だし」は、昆布と干ししいたけから取ったものです。

すべての野菜がそれぞれもっているうまさを引き出し、それを邪魔しないのは、同じ植物性のだしだからなのでしょう。

厨房の奥に3つ並んだ大きな鍋にはたっぷりのこんぶだしが作ってあり、干ししいたけはシンクいっぱいの水で戻してありました。

調味料は、しょう油、白砂糖、酒、米酢、みそ。使われていたのはどの家庭でも見かける一般的な銘柄。ときには梅肉も調味料として使います。

そしてもうひとつ忘れてはいけないのが、ごま。精進料理の代表格「ごまどうふ」をはじめ、ごま和え、ご

まみそ、ごま酢など、調味料としてもいろいろな料理で名脇役であるごまは、栄養価も高く精進料理には欠かせない食材です。

　ところで老師の味つけは、やや濃いめだとか。

「食べる方に喜んでいただけるように作ることが大切ですね。みなさんは〝精進は薄味〟と想像されるでしょうが、私はしっかりした味つけを心がけています。料理を召し上がった過半数の方がおいしいと感じていただけたら、それでいいのです。もちろん、相手の方の年齢や体調に合わせて、味つけをかえることもありますよ」

　味つけは、食べる相手への気持ちをあらわすもの。当然、作り手によってその味は違うはずです。

　老師は、月に二度、一般の方々を招いた料理教室も開いておられます。講師を務めるその料理教室でも、分量などの細かいレシピはないのだそうです。

　食べる相手を思いやって心を込め、食材をていねいに扱い、味つけをし、盛りつける。精進料理の心得こそ、家庭料理にも通じるものなのでしょう。

「無理をせず、できる中で心を込めればよいのです。そして、きれいにおいしく、を心がける。それが精進するということなのです」

　老師が語るかたわらで、若き修行僧たちが翌日の煮物の下ごしらえを始めていました。

**この日の参禅者用料理「本膳」**

**上段左**／平わん（煮物）・銀杏とれんこんの飛竜頭・にんじん・ごぼう・こんぶ・さやえんどう　**上段中央**／猪口・黒豆　**上段右**／膳皿（揚げ物）・かぼちゃ・さつまいも・さやいんげん・松葉こんぶ・豆乳杏仁

**中段左**／小皿・なます（大根、にんじん、ゆず）　**中段中央**／坪わん・ごま豆腐　**中段右**／中皿・おひたし（ほうれん草、菊花、焼きしいたけ）

**下段左**／親わん・まつたけご飯　**下段中央**／香皿・たくあん・ぬか漬けきゅうり　**下段右**／汁わん・みそ汁（わかめ、豆腐）

**小金山泰玄**《こがねやまたいげん》

京都府出身。妙厳寺、発心寺で修行。静岡県藤枝市観音寺住職。精進料理「水月庵」主宰。平成14年より總持寺の典座を務めた。

# 葉を食べる

キャベツやほうれん草など
一般に葉菜と呼ばれるものを
中心に集めました。
便宜上、
茎やつぼみを食べる野菜も
含んでいます。

# 伝統野菜とは

京都の地に育つ野菜を
「京野菜」と呼びます。
加賀のものは「加賀野菜」。
東京にだって
「江戸野菜」があります。
それぞれの地方には、その気候、
土壌、食生活など、
地域に合った品種が
存在しているのです。

70年代の高度成長とともに、野菜の流通も急激に近代化されました。日本じゅうで「単品、大量生産、大量供給」という野菜作りがすすめられ、昔からその地方にあった品種は衰退していったのです。

　より多く収穫可能な品種、旬の時期以外にも収穫できる早生種、晩生種、あるいはハウス栽培に対応する品種、耐病性に優れた品種、…さまざまな要求に応えて、種苗メーカーが「品種改良」をおこなってきました。

　現在、日本で栽培流通している野菜の種類は、およそ150ほどだといわれています。しかし、その中で日本国内にもともと自生していたものはごくわずかで、それ以外は、時代はともかく海外から渡来したものなのです。

　海外からやってきた種類も、長い歴史の中で日本の土壌、気候に順応し、幾度となく交配と選抜を重ねられました。つまり、その土地その土地に合った品種が、地方野菜として残っていったわけです。

　地方品種は、人の移動とともに各地に伝えられ、さらにその地に適した品種を分化していきました。

　たとえば、長野県の伝統野菜である「野沢菜」。18世紀に野沢温泉村にある健命寺の和尚が、京都遊学のときに、当時関西にあった天王寺かぶの種子を持ち帰ったことに始まるとされています。

　もとは根（軸）の部分を食すかぶの品種が、今では漬け物用として葉の部分を食すというのも、その地の環境に順応した結果だったのです。

　また「京野菜」には、明確な定義があります。京都府では、昭和62年に壬生菜、水菜、賀茂なす、聖護院大根、鹿ヶ谷かぼちゃなど34の品種を「京の伝統野菜」として選定しました。その定義は、（1）明治以前に導入された歴史を有する、（2）京都市域のみならず、府内全域を対象とする、（3）たけのこを含む、（4）きのこ類、シダ類（ぜんまい、わらびなど）を除く、（5）栽培、または保存されているもの及び絶滅した品目を含む、という厳密なもの。

　このような明確な定義に基づいて各都道府県が「伝統野菜」としているわけではありませんが、中世から近代まで、その土地に根づいた野菜は「地方野菜」として、たくさん存在しています。それらのもつ豊かな食味を途絶えさせてはいけないという地元民の熱い思いが、今、全国的に大きなうねりとなり、復活させて特産品にしようと取り組む自治体が増えてきています。また、こうした野菜を求める消費者の声も徐々に高まってきているようです。

## 各地の地方野菜

### 札幌大球《さっぽろだいきゅう》キャベツ（北海道）

栽培は明治時代に北海道から始まった。そのころは全国の70％以上を占める大産地であった。

肉質はやわらかく甘いため、生食用、漬け物用、煮物用と広く使われた。とくに、冬期の保存食としてニシン漬けの食材に重宝された。

### 福地《ふくち》ホワイト（青森）

青森でのにんにく栽培は、古くからおこなわれており、在来種を「福地ホワイト」の名称にして、現在も栽培している。

鱗茎《りんけい》は重く、白いのが特徴。

### 仙台長なす（宮城）

仙台藩主伊達政宗が、文禄の役に出陣した際、博多から原種を持ち帰ったといわれ、四百年の歴史がある。

果実は細長く、先がとがって黒紫色。漬け物、天ぷら、田楽などにも利用され、仙台長なす漬けは名産品。

### 秋田ふき（秋田）

秋田に原種が存在したようだが、秋田藩主佐竹義峰が江戸城に献上したことで、秋田名物の「秋田大ふき」として知られるようになった。

大きさは竹のごとく、葉は傘のようであると評された。

煮物、塩漬け、砂糖煮、砂糖菓子などにされる食用だが、秋田ふき摺り（ふきの姿を直接摺り染めにしたもの）などにも活用した。

### だだちゃ豆（山形）

鶴岡市を中心に古くから栽培されている香り枝豆。福島県伊達地方から入った「伊達の茶豆」がなまってこの名になったともいわれるが、品種の根源は新潟県下越地方にあるという。

この豆の風味を味わうにはコツがある。まずさやをていねいに水洗いし、沸騰した湯に入れ、再度沸騰して2～3分。取り出して水にさらしたあと、塩をふる。「だだちゃ豆」は鶴岡市農業協同組合が商標権を取得している。

### 下仁田《しもにた》ねぎ（群馬）

二百数十年の栽培歴史がある。徳川幕府に献上され、姿、味ともにすぐれていることから「殿様ねぎ」と称賛された。

肉質はやわらかく、甘くておいしい。ビタミンCや糖類を多く含む。

### 大浦ごぼう（千葉）

匝瑳《そうさ》市大浦地区の特産。直径が10cm以上、長さが1ｍと巨大なごぼうで、中は空洞になるのが特徴。成田山新勝寺に奉納される。

### うど（東京）

武蔵野台地の関東ローム層が軟化栽培に向いているため、江戸末期より、良質のうどが作られてきた。現在の主流品種は「紫芽の白」。

## 三浦大根（神奈川）

温暖な三浦で栽培される冬大根。やや下ぶくれ形で白く肉質はきめが細かいうえ、甘みがあって煮くずれしない。おでんやふろふき、なますに。

## 長禅寺菜（山梨）

愛宕山麓《あたごさんろく》にある長禅寺の住職が荒れ果てた寺を建て直そうと栽培し、評判になったのがこの長禅寺菜。長期間漬け込む辛口の菜漬として珍重。

## ねずみ大根（長野）

丈は短くて下ぶくれ、尻がきゅっと締まったねずみ形の大根。葉に細い切れ込みがあるのが特徴。肉質は緻密で適度な辛みがあり、おろしてもおいしい。

## 十全《じゅうぜん》なす（新潟）

漬け物にすると最高の味といわれる小なす。昭和3年に研究熱心ですぐれた十全村の農家が取り寄せた種が現・白根市へ伝わり、その周辺に広まった様子。

## 加賀太《かがふと》きゅうり（石川）

うりと見まちがえるほど、太くて大きいきゅうり。シャキシャキとした肉質を活かし、あんかけ煮や肉づめ、炒め物などにするとおいしい。

## 守口大根（岐阜）

長さが1m前後と、世界最長の大根。発祥は大阪の守口だが、栽培は岐阜の川島町周辺。酒粕に漬けた守口漬けは、尾張名古屋の名物である。

## 鹿ケ谷《ししがたに》かぼちゃ（京都）

江戸の文化年間に青森から伝わり、鹿ヶ谷付近で栽培されたのが始まり。めずらしいひょうたん形で、深緑色の皮は、熟すとオレンジ色へとかわる。そぼろあんかけやうま煮などの煮物向き。

## 天王寺《てんのうじ》かぶ（大阪）

色白で肉質が細かく、葉とともに味がいいので、江戸～明治末期にさかんに栽培されたが、耐病性の問題から、現在の生産量は極端に減少している。

## 丹波黒大豆（兵庫）

大粒で甘みがあり、煮豆にするとその風味が評判だった黒大豆が、昭和63年以降、枝豆として脚光を浴び、「丹波黒」という品種が誕生した。

## 大和真菜《やまとまな》（奈良）

もともとは採油用だったが、野菜として利用されるようになった漬け菜。霜にあたるとよりやわらかく、うまみも増す。大和を代表する冬野菜である。

## 砂丘らっきょう（鳥取）

鳥取砂丘地帯で栽培されるらっきょうの中でも、国内最高級品と賞されるのが福部村産のもの。「砂丘らっきょう」の名で流通している。

## 津田かぶ（島根）

松江市津田地区とその周辺で栽培されている、勾玉《まがたま》形のかぶ。味がよく、その漬け物は島根県の冬の名産として扱われる、年末年始の贈答品のひとつである。

## 広島菜（広島）

白菜とかぶの中間的な性質をもった不結球の菜っ葉。独特の辛みがあり、その漬け物は野沢菜漬、高菜漬とともに三大漬け物といわれている。

## 岩国赤大根（山口）

大きさ、形は京都の聖護院大根に似ているが、果肉が白く表皮は鮮紅色。辛みが少なく生食向き。色を活かして、かまぼこの代用にも。

## さぬき長さや（香川）

ひとさやに5～6粒の豆が入る長さや空豆。春のもてなし料理「押し寿司」には欠かせない。いってしょう油に漬けた「しょう油豆」も名物。

## 大葉春菊（福岡）

葉が丸く、茎が短いのが特徴。鮮やかな緑の葉はやわらかく、やや厚めで香りがよい。北九州から広島まで、「鍋春菊」の名で出回っている。

## 雲仙こぶ高菜（長崎）

雲仙市吾妻《あづま》町特産。終戦後、中国から持ち帰った高菜を当地で栽培したのが始まり。一度途絶えたが、近年復活した。葉柄にできる長いこぶが特徴。

## 水前寺菜（熊本）

栄養豊富な葉菜で、ゆでると水前寺のりに似ている、水前寺の茶席に使われた、とその名前の由来は諸説ある。別名「金時草」「ハンダマー」。

## 桜島大根（鹿児島）

球形もしくは扁球形で、大きい物は30kgにもなる、世界最大の大根。温暖な気候と火山灰土が作り上げた、緻密な肉質と甘みが特徴。

## 紅いも（沖縄）

内部が紫色のさつまいもを総称して「紅いも」と呼ぶ。沖縄では、さつまいもといえば紅いも。食材としてはもちろん、化粧品にも利用されている。

淡色野菜

# キャベツ

cabbage

## 胃炎や潰瘍の改善に効果があるビタミンUを含む

ヨーロッパ原産のキャベツは、古代ギリシャ、ローマの時代から食べられていた最古の野菜のひとつです。野生種は結球しないケールのような葉キャベツで、栽培の長い歴史の中で、現在の丸く結球したものが生まれました。

日本へは江戸時代に伝わり、明治以降、本格的に栽培されるようになりました。

キャベツには、胃炎や潰瘍《かいよう》の回復に効果があるといわれるビタミンUが含まれています。これはキャベツから発見されたので、キャベジンとも呼ばれている水溶性ビタミン様物質です。またビタミンCやアミノ酸、カルシウムが豊富で、葉の緑の部分にはカロテンが多く含まれています。

### *Data*

**注目の栄養成分**
ビタミンC、U、カルシウム、カロテン

**エネルギー**
21kcal／100g

**おいしい時期**
春キャベツ：3月〜5月
夏キャベツ：7月〜8月
冬キャベツ：1月〜3月

**保存**
カットしたものはラップで包んで、冷蔵庫で保存

葉がしっかりと巻かれていて、重みのあるもの（冬キャベツ）
葉の緑色が濃く鮮やかで、ツヤとハリがあるものが新鮮
切り口がみずみずしく、割れたり、変色したりしていないもの

### ♥安心への下準備

外側の葉１枚は捨てる。葉は１枚ずつはがし、ていねいに洗ってから。

品種群

### 黒キャベツ

カーボロネロとも呼ばれる、ちりめん状の不結球型キャベツ。繊維も風味も強いので、煮込み向き。

### サボイキャベツ

フランスのサボア地方発祥の品種で、葉がちりめん状に縮れている。煮込み向き。日もちがよい。

### 紫キャベツ

赤キャベツ、レッドキャベツともいわれる。色味はアントシアニンによるもので、天然着色料の原料に。

### 「グリーンボール」

やや小ぶりのボール形。葉質はやわらかで色は濃く、中心まで緑色をしている。生食、漬け物に。

# 春キャベツと冬キャベツ

一年じゅう店頭に並ぶキャベツですが、出回る時期によって特徴があります。

何枚も重なった葉がしっかりと巻かれていて、ずっしりと重いものが出回るのは11月～3月。これが寒玉と呼ばれる冬キャベツです。甘みがあり、ロールキャベツのように煮込む料理にぴったり。

一方、葉の巻きがゆるく内部まで黄緑色をした、葉質のやわらかいものは早春から店頭に並び始めます。春系と呼ばれる春キャベツです。みずみずしくて生食向きなので人気が高まり、生産量が増加しています。

春キャベツ

冬キャベツ

## ケールはキャベツの祖先

健康飲料の青汁でおなじみのケールは、アブラナ科の野菜。そのケールを原種として、葉が大きく変化したものがキャベツに、花が大きくなったものがブロッコリーやカリフラワーに、それぞれ分かれていった。観賞用のハボタンもこの仲間。

## 千切り上手になるには

ていねいに葉をはがし、芯の部分を切り取る。向きをそろえて重ね、葉を丸めてから芯と垂直に切っていく。包丁はよく切れるものを使おう。水に放すとパリッとするが、ビタミンCが流出するのでほどほどに。

料理

## キャベツのウインナー鍋

**材料**

キャベツ…½個
ウインナー…6本
ベーコン…適量
コンソメスープ…2カップ
黒こしょう…少々

**作り方**

1. スープを煮立て、ウインナーとベーコンを入れる。
2. 火が通ったら、食べやすい大きさに切ったキャベツを入れて煮る。
3. たっぷりと黒こしょうをかけるか、ポン酢でいただく。

## おいしいコツ

### 保存方法

丸のものはビニール袋に入れて冷蔵庫へ。鮮度を保つ野菜専用保存袋が便利。カットしたものはラップできっちり包むこと。

### 残りキャベツの即席漬け（梅肉風味）

手でちぎり、塩もみしてから水気を切っておく。きざんだ梅肉と千切りの青じそを合わせて、味をなじませる。塩気が足りなければしょう油をたらしても。

### ザワークラウト

肉料理が多いドイツをはじめ、ヨーロッパ各地で食されているキャベツの保存食。千切りにしたキャベツを塩水とキャラウェイシードで漬け込んだもので、その酸味は乳酸菌発酵によるもの。

## 栽培分布図

春は千葉、神奈川、茨城など。夏秋は群馬、長野。冬は愛知産が多く出回っている。

## おいしいカレンダー

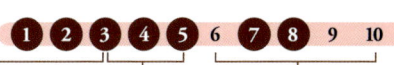

●旬

1 2 3 4 5 6 7 8 9 10 11 12
（旬：1、2、3、4、5、7、8月）

**春キャベツ**（3～5月）
千葉、神奈川、茨城

**夏秋キャベツ**（6～10月）
群馬、長野

**冬キャベツ**（11～12月）
愛知

# はくさい

白菜

Chinese cabbage

## ビタミンCと食物繊維、カリウムもたっぷり

中国北部原産の白菜は、東洋の代表的な野菜のひとつです。日清・日露戦争に従軍した日本人が中国から種を持ち帰ったことから、本格的な栽培が始まりました。

白菜の大部分は水分ですが、ビタミンCが多く、風邪の予防や免疫力アップに効果的。カリウム、カルシウム、マグネシウム、亜鉛などのミネラル類を含みます。とくにカリウムには利尿作用があり、塩分を排出する働きがあるので、高血圧予防にも役立ちます。

食物繊維が豊富かつ低カロリーなので、整腸やダイエット、美肌作りにも効果が期待できます。

### Data

**注目の栄養成分**

ビタミンC、カリウム、カルシウム、マグネシウム、亜鉛、食物繊維

**エネルギー**

13kcal／100g

**おいしい時期**

11月～2月

**保存**

夏以外は丸のまま新聞紙に包み、冷暗所に立てた状態で2～3週間。夏ものはラップに包み冷蔵庫で4～5日

外側の葉がいきいきとした緑で重みがあり、切り口が白くみずみずしいもの

葉がすき間なくつまり、フカフカしていないもの

切り口がみずみずしい。芯のあたりが盛りあがっているものは鮮度が落ちている

黒いはん点は栄養過多になった細胞にあらわれるもの。食用に差し支えない。

### 品種群

**「ミニ」**

果重が1kgくらいの小型白菜。一度に使い切れるので、人気が高まっている。

**「オレンジ」**

外葉はかわりないが、中の葉が鮮やかなオレンジ色。歯ざわりがよく、色を活かしてサラダにも。

# 白菜1個を食べ切ろう

飽きずにおいしく1個を食べ切るアイデアとして、こんな調理法はいかがでしょうか。

**白菜の蒸し煮風鍋**

塩こしょうをした豚ばら肉をはさみながら、鍋いっぱいに白菜を入れ、酒をふりかけて加熱します。かさが減り、汁気が増えますが、ここには白菜のうまみと栄養がたっぷり。ポン酢で食べましょう。

**八宝菜風炒め物**

いろいろな具材とともに中華風の味つけで炒め、とろみをつけると、うまみを閉じ込めた一品になります。肉、貝、豆腐、色の濃い野菜を合わせれば栄養のバランスもよく、メインのおかずにもなるでしょう。

## キムチ

キムチ人気によって白菜の生産量は増加した。本場韓国産のものは乳酸菌発酵しており、腸内の悪玉菌を減らす効果がある。

## 変種たち

日本の各地には白菜の変種といわれる野菜が多い。左は「べか菜」。右は「長崎白菜」。どちらも結球しないタイプの小型白菜。

料理

## 白菜の重ね蒸し

**材料**

白菜…½個
豚肉…200g
酒…適量
塩、こしょう…少々

**作り方**

1. 白菜は鍋の高さに合わせて切っておく。豚肉には塩、こしょうで下味をつける。
2. 白菜と豚肉をバームクーヘンのように交互に巻き、鍋にすき間なくつめる。
3. 酒を回しかけ、ふたをして蒸し煮にする。食べるときはポン酢をかけて。

## 白菜のクリームシチュー風

**材料**

白菜…¼個
たまねぎ…1 個
ベーコン…50g
ホワイトソース、バター…適量
コンソメスープ…適量
塩、こしょう…少々

**作り方**

1. 薄切りにしたたまねぎとベーコンをバターで炒め、コンソメスープを加える。
2. ひと煮立ちしたら、食べやすい大きさに切った白菜を加える。
3. 白菜がしんなりしたらホワイトソースを入れ、塩、こしょうで味を調える。

## 栽培分布図

春は茨城、長野。夏は長野が約80%。旬の秋冬ものは茨城、長野、愛知産などが多い。

## おいしいカレンダー

●旬

1 2 3 4 5 6 7 8 9 10 11 12（●1、2、11、12）

春白菜（3〜5）
茨城、長野

夏白菜（6〜10）
長野

秋冬白菜（11〜2）
茨城、
長野、
愛知

## おいしいコツ

### 長もちさせる保存方法

丸のまま保存するときは新聞紙に包んで冷暗所に。

カットしたものはラップで密封し、冷蔵庫に。

### そぎ切り

火の通りを均一にするため、厚みのある芯の部分はそぎ切りに。

### 芯がおいしい中華風甘酢漬け

芯の部分を拍子木切りにし、塩もみして水気を切る。酢、砂糖、塩、ごま油、唐辛子の輪切りを合わせて加熱し、かけてなじませる。

# ほうれんそう

## 菠薐草 spinach

### カロテンやミネラル豊富な緑黄色野菜の代表

西アジア原産で、世界各地に伝播し、アジアで東洋種が、ヨーロッパで西洋種が生まれました。日本へは、東洋種が中国から伝わり、のちに西洋種が導入され、現在は両者の交配種が主流になっています。

ポパイの漫画で「ほうれん草＝栄養いっぱい」というイメージを抱く人も多いと思いますが、実際にカロテンの多い緑黄色野菜の中でも栄養価は抜群。鉄、マグネシウム、マンガン、亜鉛などのミネラル類、ビタミン$B_6$、C、葉酸などを豊富に含み、貧血の予防にも効果があるといわれています。

とくに冬の露地ものは、夏ものと比べ栄養価が高く、甘みも増しておいしくなります。

葉の色が濃く、葉先がピンとしており、みずみずしいもの

根元の赤い部分は、骨の形成に重要なマンガンが豊富に含まれている。甘みもあるので、捨てずに利用しよう

**Data**

**注目の栄養成分**
カロテン、ビタミンC、B群、葉酸、鉄、カルシウム

**エネルギー**
18kcal／100g

**おいしい時期**
12月～1月

**保存**
新聞紙で包み、ビニール袋に入れて、冷蔵庫の野菜室へ

### ビタミン類がたっぷり

鉄の吸収を助けるビタミンC、造血を促す葉酸とビタミンB群など、ミネラルとともに働くビタミンが豊富。貧血に悩む人、元気の出ない人は、日々の料理にぜひ取り入れてみて。

品種群

### 赤茎ほうれん草

アクの少ない生食用品種。サラダの彩りに最適。ベビーリーフとして用いられることも多い。

### サラダほうれん草

生食用に改良された品種。あるいは水耕栽培されたもの。アクが少なくやわらか。色はやや薄い。

### ちぢみほうれん草

寒さにあてて栽培することで、低温ストレスを与え、糖度や甘みをアップさせてある。葉肉も厚い。

# 買ったらその日のうちに

葉もの野菜の中でも、とくにほうれん草は鮮度が命。葉先から水分がどんどん蒸発してしまうので、買いたての新鮮なうちに調理することをおすすめします。

ゆでるときは手早く。鍋にたっぷりの湯を沸かし、塩を加えて、まず茎の部分を入れ、続いて葉先を沈めていきます。ゆで時間は2分程度。ゆですぎると風味も栄養も失われるので、強火で一気にゆでましょう。水にさらしてアクを抜き、しぼって水気を切ります。このとき巻きすを使うと葉や茎を傷めません。

### シュウ酸の話

ほうれん草のアクはシュウ酸。シュウ酸を多量に摂取すると結石の原因になるといわれてきたが、シュウ酸はゆでて水にさらすとほとんどが流れ出してしまうことや、人体に害を及ぼすほどの量はふだん摂らないこと、さらにアクの少ない品種が増えたことから、あまり気にされなくなった。

## おいしいコツ

### 新聞紙に包んで冷蔵庫に

葉先が乾かないよう、しめらせた新聞紙に包み、ビニール袋に入れる。冷蔵庫の野菜室に、立てて保存を。

### 水にさらしてアク抜き

ゆでたら水にさらし、急激に冷やすことでアクが流れ出る。ただしさらしすぎは、うまみも栄養分も損失するので、ほどほどに。

### ゆでて冷凍

かためにゆで、ラップで包み、冷凍保存を。

### 安心への下準備

残留農薬などが気になる場合は、切ってからゆでるとよい。2cmくらいに切り、たっぷりの湯で1分ほどが目安。

料理

## ほうれん草とカキのソテー

**材料**

ほうれん草…1束
カキ…1パック
バター…適量
塩、こしょう…少々

**作り方**

1. ほうれん草は洗って、食べやすい幅に切っておく。
2. フライパンにバターを入れて熱し、カキを炒める。
3. カキに火が通ったら、ほうれん草を加え、塩、こしょうで味を調える。

## 常夜鍋

**材料**

ほうれん草…1束
豚肉…適量
酒、水…適量
こんぶ…適量

**作り方**

1. 鍋に水と酒を半量ずつ入れ、こんぶを入れて煮立てる。
2. ざく切りにしたほうれん草と豚肉を、しゃぶしゃぶのようにサッと煮ながら、ポン酢で食べる。

## 栽培分布図

千葉、埼玉、群馬、茨城など4県で全体の約40%を占める。夏は北海道産なども多くなる。

## おいしいカレンダー

●旬

1 2 3 4 5 6 7 8 9 10 11 12

北海道

千葉、埼玉、群馬、茨城

# こまつな
## 小松菜 komatsuna

### カロテン、カルシウムがたっぷり

中国原産で、江戸時代に小松川（今の東京都・江戸川区周辺）で栽培されていたことから、この名称になりました。現在も東京都を中心に、おもに関東で栽培されています。

ハウス栽培もさかんで一年じゅう出回っていますが、アブラナ科の野菜なので、かぶや白菜と同様、旬は冬。寒さに強く、霜にあたると甘みが増しておいしくなります。

カロテン、ビタミンC、B群、E、カルシウム、鉄、リン、食物繊維などを豊富に含み、とくにカルシウムはほうれん草の3倍以上。骨《こつ》粗《そ》鬆《しょう》症《しょう》予防にも効果的です。

アクが少なく、下ゆで不要なので、シャキッとした歯ざわりを残して調理しましょう。

**Data**

**注目の栄養成分**
カロテン、ビタミンC、B群、E、カルシウム、鉄、リン、食物繊維

**エネルギー**
13kcal／100g

**おいしい時期**
12月～2月

**保存**
しめらせた新聞紙に包み、立てて冷蔵庫に入れ2～3日

葉の緑が濃く、葉先までピンとしたみずみずしいもの
大ぶりのしっかりした株で、茎にハリとみずみずしさがあるといい

料理

### 小松菜と厚揚げの煮物

**材料**
小松菜…1束
厚揚げ…1枚
だし汁、しょう油、みりん、酒…適量

**作り方**
1. 厚揚げはサッと熱湯にくぐらせ、油抜きをしてから、ひと口大に切っておく。
2. だし汁と調味料を煮立て、厚揚げを入れてしばらく煮る。味がしみたら、5㎝ほどの長さに切った小松菜を加え、サッと煮る。

### 安心への下準備

根元を広げるようにして、流水でよく洗う。2㎝幅に切ってから1分ゆでで、水にさらすと、残留農薬などが軽減する。

### 骨《こつ》粗《そ》鬆《しょう》症《しょう》予防メニュー

カルシウムの体内吸収率を高めるには、たんぱく質や油脂を含む食品と組み合わせることがポイント。魚介類、肉類、豆類、大豆加工品、乳製品などとの食べ合わせを心がけよう。ちりめんじゃこと合わせておひたしにする、厚揚げと煮びたしにする、チーズ焼きにする、などが手軽でおすすめ。

# なばな 菜花

rapeseed

## 春を告げる苦みと香り

地中海沿岸や中央アジア、北ヨーロッパなどを原産とするアブラナ（菜の花）のつぼみと花茎、若葉を菜花といいます。

今では周年出回っていますが、やはり旬は冬から早春にかけて。独特のほろ苦さ、香りと彩りで、ひと足早く春の訪れを告げる緑黄色野菜です。

カロテン、ビタミンC、$B_1$、$B_2$、葉酸、カルシウム、鉄等のミネラル類を豊富に含み、とくにビタミンCの含有量は野菜の中でもトップクラス。体の抵抗力を高め、風邪などを予防するほか、貧血の予防にも効果があります。

花が咲き始めると味が落ちるので、できるだけ早いうちに食べましょう。

### Data

**注目の栄養成分**

カロテン、ビタミンC、$B_1$、$B_2$、葉酸、カルシウム、鉄

**エネルギー**

和種：34kcal／100g

洋種：36kcal／100g

**おいしい時期**

12月～3月

**保存**

しめらせたキッチンペーパーに包み、冷蔵庫で2～3日

葉や茎の緑が鮮やかでみずみずしく、つぼみが開いていないもの

江戸の伝統野菜「のらぼうな」。江戸時代から東京の西部を中心に栽培されてきた菜花。

15cmほどの短い菜花。やわらかい穂先部分を摘んでいる。ほろ苦さを活かして、おひたしやからし和えに。

料理

### 菜花のイタリアンソテー

**材料**

菜花…1束

ベーコン…100g

にんにく…1片

オリーブ油…適量

塩、こしょう…少々

**作り方**

1. 菜花は下ゆでし、食べやすい長さに切っておく。
2. オリーブ油でにんにくを炒め、香りが移ったら、ひと口大に切ったベーコンを炒める。
3. 菜花を加え、塩、こしょうで味を調える。

### 「オータムポエム」

中国野菜の「紅菜苔」と「菜心」をもとに育成された新種。アスパラ菜ともいわれる。茎にはアスパラガスの風味がある。

# しゅんぎく
春菊
garland chrysanthemum

## 独特の香りは胃腸の働きを促進

地中海沿岸が原産で、春に黄色の花を咲かせるため、春菊という名前がついています。キクナと呼ばれることも。

日本へは、室町時代に渡来したといわれ、江戸時代から栽培が始まりました。

栄養価の高い緑黄色野菜で、カロテンの含有量はほうれん草以上。ビタミンB2、C、E、カルシウム、鉄なども豊富です。カロテンは抵抗力をつけて風邪などの感染症を予防し、ミネラル類は貧血、骨粗鬆症《こつそしょうしょう》の予防などに効果があります。

また、独特の香りはαーペネン、ペリルアルデヒドなどの成分からなり、食欲の増進、胃もたれの解消、消化促進などの働きがあります。

葉の色が濃い緑でみずみずしく、香りの強いものが新鮮
切り口が新しく、茎は太すぎない、やわらかいものがおいしい

### Data

**注目の栄養成分**
カロテン、ビタミンB2、C、E、カルシウム、鉄、食物繊維

**エネルギー**
20kcal／100g

**おいしい時期**
11月～3月

**保存**
しめらせた新聞紙に包んで、冷蔵庫で2日

### 油やたんぱく質で栄養効果アップ

抗酸化力を持つカロテンは、体内でビタミンAにかわる。油やたんぱく質とともに食べると吸収率が高まるので、調理にごま油やオリーブ油を使ったり、豚しゃぶにしたりすると栄養効果満点。

品種群

### 「スティック春菊」

香りがマイルドでクセがなく、食べやすい春菊。歯ごたえのある長い茎がおいしい。生食も。

### 長もちさせる保存方法

葉先を乾燥させないよう、新聞紙で包んでからビニール袋に入れ、冷蔵庫に。

料理

### 春菊のペースト

**材料**
春菊の葉…1束ぶん
松の実…大さじ1
パルメザンチーズ…大さじ3
にんにく…2片
エキストラバージンオリーブ油…大さじ4
塩…少々

**作り方**
材料すべてをミキサーにかけ、ペーストにする。バジルペーストと同様に使うことができる。

# たかな

## 高菜

leaf mustard

# 辛み成分は食欲増進と抗菌作用をもつ

漬け物でよく知られる高菜は、アブラナ科の葉菜で、カラシナ類の一種。原産地には諸説ありますが、中央アジア説が有力です。日本には、平安時代以前に中国から入ってきたといわれています。

高菜の仲間には、カツオナ、三池高菜、柳川高菜、大葉高菜などがあり、とくに関東以南に多くの品種があります。

葉にはピリッとした辛みがありますが、この辛み成分はマスタードなどに含まれるものと同じアリルイソチオシアナートです。殺菌作用や食欲増進に効果があります。

また、カロテン、ビタミンC、カルシウム、鉄を多く含み、食物繊維も豊富です。

葉の色が鮮やかでツヤツヤし、全体にハリがあるもの

株がしっかりと張っていて、葉や茎が肉厚なものがおいしい

## Data

**注目の栄養成分**
カロテン、ビタミンC、カルシウム、鉄

**エネルギー**
21kcal／100g

**おいしい時期**
12月～3月

**保存**
しめらせた新聞紙で包み、冷蔵庫に立てて保存

### めずらしいこぶ高菜

長崎県雲仙市吾妻町の伝統野菜「雲仙こぶ高菜」。葉の根元にできる5㎝ほどのこぶがコリコリとしていて、驚くほどおいしい。近年復活した野菜で、今では地元の特産品に。

### おいしいカレンダー

●旬

| 1 | 2 | 3 | 4 | 5 | 6 | 7 | 8 | 9 | 10 | 11 | 12 |
|---|---|---|---|---|---|---|---|---|---|---|---|
| ● | ● | ● | | | | | | | | | ● |

三池高菜（福岡）、阿蘇（熊本）、長崎高菜（長崎）など九州には地方品種が多い。

# みずな（きょうな）
## 水菜（京菜）
mizuna

## カロテンやビタミンCがたっぷり

ツケナの仲間ですが、日本特産の野菜で、京都で古くから栽培されていた京野菜です。畑の作物と作物の間に水を引き入れて育てたことから、この名前がつきました。関西以外では、京菜と呼ばれることも多いようです。

一年じゅう市場に出回るようになりましたが、京都では「水菜が並ぶようになると冬本番」といわれるように、本来は寒さが厳しくなるころが旬です。

カロテンとビタミンCが豊富で、カルシウムや鉄、カリウムなどのミネラル類、食物繊維も多く、バランスの取れた緑黄色野菜です。

漬け物、鍋、生食などいずれにも適し、生活習慣病の予防、美肌にも効果が期待できます。

葉の緑色が鮮やかで、葉の先までみずみずしいもの

株が大きく、茎に傷などのない白くつややかなもの

### Data

**注目の栄養成分**
カロテン、ビタミンC、カルシウム、カリウム、食物繊維

**エネルギー**
23kcal／100g

**おいしい時期**
12月～3月

**保存**
新聞紙で包んでからビニール袋に入れ、冷蔵庫の野菜室へ。2～3日

### 保存法

葉先を乾燥させないよう新聞紙で包んでから、ビニール袋に入れて冷蔵庫の野菜室へ。

### 塩もみ

サラダなど生食する場合は、きざんでから軽く塩もみし、少ししんなりさせる。

### サラダ野菜として人気定着

水菜が全国的に有名になったきっかけは、マヨネーズの広告にサラダとして登場してからなのだとか。シャキシャキとした歯ごたえは生食にもぴったり。近ごろでは西欧でも「ミズナ」として人気。

品種群

### 「壬《み》生《ぶ》菜《な》」

京菜から分かれた品種で、京都の壬生付近原産。名物千枚漬けにも添えられている。水菜よりクセがあるが、葉はやわらか。浅漬けにも。

料理

### アサリと水菜のスープ風

**材料**

水菜…1束
アサリ…1パック
にんにく…1片
ベーコン…100g
酒…適量
こしょう…少々
ブイヨンスープ…適量

**作り方**

1. 水菜は食べやすい長さに切っておく。
2. 鍋にアサリ、スライスしたにんにくとベーコン、酒を入れ、ふたをして蒸し焼きにする。貝が開いたらこしょうをし、ブイヨンスープを加える。
3. ひと煮立ちしたら水菜を入れ、火を止める。

# にら　韮

Chinese chive

## 肉と相性抜群！スタミナ野菜の代表選手

東アジア原産で、日本でも『古事記』や『万葉集』に記載があり、薬草として古くから利用されてきました。野菜として全国各地で広く栽培されるようになったのは、戦後からです。

カロテン、ビタミン$B_2$、C、カルシウムやカリウムなどを豊富に含む栄養価の高い緑黄色野菜です。

にら特有の強い香りアリシン（硫化アリル）は、ビタミン$B_1$の吸収率をアップし、糖分の分解を促進するので、ビタミンB群の豊富なレバーや豚肉との相性は抜群です。

さらに、血行をよくして体を温め、胃腸の働きを助けるので、風邪の予防や病後の回復にも効果があります。

### 効能豊富な温性野菜

体を温める温性野菜なので、食すと血流がよくなる。代謝の悪い人や虚弱体質の人は積極的に摂るとよい。胃腸の働きを整える効果があり、「二日酔いにはにらのみそ汁が効く」ともいわれている。花粉症にも有効なので、免疫力を高めるためにも春になる前から常食しよう。

葉先までピンとしてみずみずしく、葉の色が濃く鮮やかなもの

### Data

**注目の栄養成分**
カロテン、ビタミン$B_2$、C、カルシウム、カリウム、硫化アリル

**エネルギー**
18kcal／100g

**おいしい時期**
11月～3月

**保存**
キッチンペーパーとラップで包み、冷蔵庫で立てて2～3日

### 根元だって栄養満点

にらの根元の白い部分には、香りと味のもとになるアリシンが葉先の約4倍。うまみとシャキシャキ感のためにも、切り捨てないように。

料理

## にらのごま和え

**材料**
にら…1束
ごま…適量
だししょう油、砂糖…適量

**作り方**
1. にらは食べやすい長さに切ってから、サッとゆでる。
2. ごまをすり、砂糖、だししょう油を加えてから、1のにらを和える。

品種群

### 「花にら」

やわらかい花茎とつぼみを食用にする。香りはマイルドで甘みがあり、歯ざわりがよい。

### 黄にら

日光をあてず軟白栽培したにら。見た目が美しいだけでなく、やわらかく甘みもある。にらもやしともいう。

淡色野菜

# ねぎ

## 葱 welsh onion

## アリシンが血行を促進する

中国では紀元前から栽培され、日本へは、奈良時代に渡来したといわれています。

関東では、千住ねぎに代表される根深ねぎ（長ねぎ）が、関西では、九条ねぎに代表される葉ねぎ（青ねぎ）が主流です。

寒冷地で育ち、甘みの強い下仁田ねぎや加賀太ねぎは根深ねぎの一種です。

古くから薬用野菜として利用され、白い葉鞘部《ようしょうぶ》にはビタミンCが多く、緑黄色野菜に分類される緑の部分にはカロテン、カルシウム、ビタミンKなどが豊富です。なかでも香りの成分アリシンは、ビタミン$B_1$の吸収を助け、血行促進、疲労回復、殺菌などさまざまな効果と働きがあります。

### ぬめりは甘みとやわらかさ

切ると、ぬめりが出るが、これは甘みとやわらかさのもと。煮ると甘くトロリとした食感に。食物繊維もたっぷり含まれているので、便秘の改善にも効果あり。風邪やストレスなどで体が弱っているときは意識して食べてみては。

### 根深ねぎ（千住ねぎ）

白い部分が長く、緑の部分との境目がはっきりしているものがいい

巻きがしっかりしていて、フカフカしていないもの

切り口がきれいで、みずみずしいものがよい

### Data

**注目の栄養成分**
カロテン、ビタミンC、K、カルシウム、アリシン（硫化アリル）

**エネルギー**
35kcal／100g

**おいしい時期**
11月～2月

**保存**
新聞紙に包んで冷暗所で保存

### 品種群

#### 「九条太」

京都特産の葉ねぎ。別名青ねぎ。1本の茎から5～6本枝分かれする。茎と葉の両方を食す。

#### 「下《しも》仁《に》田《た》」

群馬特産の1本ねぎ。別名上州ねぎ、殿様ねぎ。肉質がやわらかく、加熱すると甘みが出る。

#### 小ねぎ（万能ねぎ）

「博多万能ねぎ」というブランド名で有名。葉ねぎを若採りしたもの。やわらかく色も美しい。

#### リーキ

西洋種。ポロねぎとも呼ばれる緑黄色野菜。白い茎の部分をゆでてからグラタンや煮込みで食す。

#### あさつき

ねぎの近親種。別名糸ねぎ。おもに薬味として使われる。刺身に添えるのは殺菌効果があるから。

#### わけぎ

ねぎとたまねぎの雑種。よく枝分かれするので「分け葱（わけぎ）」の名がついた。香りはややマイルド。

### 安心への下準備

ポイントは外側の葉を１枚むいてから使うこと。

# 根深ねぎと葉ねぎ

大きく分けると「加賀系」「千住系」「九条系」の3つになります。「千住系」「加賀系」は根深ねぎの系統で、白く伸びた茎（葉鞘部）を食し、おもに東日本で作られています。この系統には寒さに強いという特性があります。一方「九条系」は京都生まれの葉ねぎで、おもに葉を食べます。西日本で多く栽培されています。

ねぎはそれぞれの気候に合った、その地方特有の品種に人気があります。しかし近年、人の移動とともに関東にも多くの葉ねぎが出回るようになりましたし、関西でもすき焼きには根深ねぎを使っています。全国どこでも使い道によって、ねぎの種類を選べるようになりました。

### 根つきのものは土に埋めて保存

根を落とし、外皮をむいた白いねぎより、泥つきのもののほうが長もちする。土の中に斜めに埋めて保存しよう。寒冷地では昔からおこなわれている保存法で、にんじんやごぼうも同様の保存が可能。

## おいしいコツ

### 風邪のひき始めに効果的

きざんだねぎをたっぷり入れた熱いみそ汁を飲むとよい。発汗を促し、悪寒を取り、熱を下げ、頭痛を改善する。ねぎには解毒効果もあるとされている。

### きざんで冷凍

小口切りやみじん切りにしたものを小分けし冷凍しておくと、薬味がほしいときに便利。1か月を目安に使い切ること。

### ラップでつつむ

皮をむき、根元を取って短くカットし、ラップに包んで冷蔵庫へ。

料理

## ねぎのチーズ焼き

**材料**

ねぎ…2本
パルメザンチーズ…適量
にんにく、しょう油…少々

**作り方**

1. ねぎは食べやすい長さに切っておく。
2. にんにくを炒め、香りが移ったらねぎを加え、しょう油で味をつける。
3. 耐熱皿に **2** を盛り、パルメザンチーズをかけて、オーブントースターで焦げ色がつくまで焼く。

## 九条ねぎとタコのぬた

**材料**

九条ねぎ…½束
ゆでダコ（スライス）…適量
酢みそ
- 白みそ…大さじ3
- 酢…大さじ2
- 砂糖…大さじ2
- みりん…大さじ1
- ねりからし…大さじ½

**作り方**

1. ねぎは食べやすい長さに切り、サッとゆでる。
2. 酢みその材料をすべて合わせる。
3. **1** のねぎとゆでダコを器に盛り、**2** の酢みそをかける。

## 栽培分布図

総じて関東が多く、春ねぎは千葉、茨城、夏は茨城、秋冬は埼玉、千葉、群馬、茨城など。

## おいしいカレンダー

●旬

**1** **2** 3 4 5 6 7 8 9 10 **11** **12**

秋冬ねぎが年間生産量の約7割を占める。

# たまねぎ

玉葱、葱頭

onion

## 血液サラサラ効果は生食で

原産地は中央アジア、西アジアなど諸説あります。エジプトやヨーロッパでは紀元前から栽培されていたといわれていますが、日本で本格的な栽培が始まったのは明治時代です。

成分でもっとも多いのは糖質で、ビタミン類やミネラル類はそれほど多くありません。

ねぎ類に共通の香り成分で涙の原因となる硫化アリルは、ビタミン$B_1$の吸収を助けて新陳代謝を活発にします。またコレステロールの代謝を促し、血液をサラサラにして、動脈硬化、高血圧、糖尿病、脳血栓などを予防します。

なお、硫化アリルは加熱すると糖度の高いプロピルメルカプタンに変化するので、サラサラ効果を期待するなら、生食がおすすめです。

### Data

**注目の栄養成分**

糖質、硫化アリル、ビタミン$B_1$、$B_2$、C、カルシウム、カリウム

**エネルギー**

33kcal／100g

**おいしい時期**

新たまねぎ：4月～5月

**保存**

ネットなどに入れて、涼しく乾燥した場所に

頭部から傷むので、ここもかたく、しっかりしたものを
持ってみて、しっかりかたく、重みのあるものがよい
皮に傷などがなく、乾いていてツヤのあるもの

### 黄たまねぎ

芽

半分に切ったときに、芽が上までのびているものは、休眠からさめている。取り除けば普通に食べられる。

### たまねぎって根？茎？葉？

たまねぎはユリ科ネギ属。これは根ではなく、茎の根元がふくらんで大きくなった鱗茎（りんけい）。厳密にいうと、葉ということになる。らっきょうやにんにくも同様。

品種群

### 新たまねぎ

春先に出回る早生種。扁平でやわらか。辛みが弱く、生食にも向いている。

### 小たまねぎ

別名ペコロス。たまねぎを密植させて小型化したもの。丸のまま煮込み料理などに。

### 「湘南レッド」

赤たまねぎの中で、もっとも食味がよいといわれている品種。辛みも香りもマイルドなので、生食に向いている。出回るのは初夏から。

# 涙が出るのはどうして？

たまねぎは、切ると細胞が壊され、刺激臭と辛みをもつ硫黄化合物・硫化アリルが発生します。この硫化アリルが目や鼻を刺激し、涙が出るというわけです。

涙を抑えるには、切る前にたまねぎをよく冷やしておく、包丁やたまねぎの切り口を水で濡らしておく、よく切れる包丁で細かく切る、といった方法がおすすめです。

## たまねぎが甘くなるわけ

辛みが強いたまねぎほど、加熱すると甘くなるのには理由がある。
加熱することで辛み成分が弱まり、辛みに隠れて目立たなかった甘みが立ってくるうえ、加熱で水分が奪われて、いっそう甘く感じるようになる。

## 話題の「たまねぎの外皮」とは？

褐色の外皮にはポリフェノールの一種ケルセチンが含まれている。
ケルセチンには抗酸化作用や抗炎症作用があるといわれており、動脈硬化予防、毛細血管の増強、花粉症抑制などの効果がうたわれている。今では健康食品としてたまねぎの皮の粉末もあるようだ。なお、たまねぎの外皮は天然染色の原料としても知られている。

## おいしいコツ

### みじん切りのコツ

手早く細かくみじん切りに切るコツは、隠し包丁を放射線状に縦に入れること。その後、横に切っていけばよい。

### 炒めて冷凍

あめ色に炒めたたまねぎを小分けしてラップで密封し、冷凍保存しておくと、カレーやハンバーグ、オニオンスープなどを作るときの大幅な時間短縮になる。

### みじんたまねぎのビネガー漬け

みじん切りにしたたまねぎをワインビネガーに漬けておき、それをサラダドレッシングやポテトサラダに加えるとグンとおいしくなる。冷蔵庫で2週間ほど保存可能。

料理

### たまねぎのキッシュ風

**材料**

たまねぎ…2個
ベーコン…80g
生クリーム…150cc
塩、こしょう…少々

**作り方**

1. 薄切りにしたベーコンとたまねぎをじっくり炒め、塩、こしょうで味を調える。
2. 耐熱皿に **1** を入れ、生クリームを加えて、オーブントースターで焼く。

## 栽培分布図

北海道が全体の収穫量の約55％を占め、ほか佐賀、兵庫などのものが多く出回っている。

## おいしいカレンダー

●旬

1　2　3　**4**　**5**　6　7　8　9　10　11　12

佐賀、兵庫（4〜6月）　北海道（8〜10月）

夏から秋に収穫されたたまねぎは貯蔵され、春まで順次出荷される。

# ブロッコリー

broccoli

## 生活習慣病をブロック

地中海沿岸原産の野生のキャベツを改良したもので、頭頂部のつぼみと茎を食べます。イタリアで改良されてヨーロッパじゅうに広まりました。日本へは、明治時代に導入されましたが、本格的に栽培が始まったのは戦後から。80年代に入って、アメリカなどからの輸入ものが加わり、周年出回るようになって急速に需要が伸びました。

カロテンが豊富で、その含有量はキャベツの16倍といわれています。

さらに、糖尿病の予防効果があるクロム、血圧を下げる働きがあるカリウム、貧血を予防する鉄、カルシウムとカルシウムの摂取を助けるビタミンKなどを多く含みます。

日々の食事に取り入れて、生活習慣病の予防に役立てましょう。

こんもりとつぼみが密集していてかたく締まり、緑色が濃いもの

つやつやしていて、傷や変色がなく、みずみずしいものがよい

切り口がみずみずしく、変色せず「す」が入っていないもの

### Data

**注目の栄養成分**
カロテン、ビタミンC、クロム、カリウム、鉄、カルシウム、スルフォラファン

**エネルギー**
37kcal／100g

**おいしい時期**
11月～3月

**保存**
すぐに鮮度が落ちる。ビニール袋に入れて冷蔵庫で２日程度

### 注目されている抗ガン作用

アブラナ科野菜は全般的に抗ガン作用が高いといわれているが、なかでもとくに注目されているのがブロッコリー。アメリカの国立ガン研究所が作成した「ガン予防が期待できる食べ物」にも上位にランクされている。ブロッコリーに含まれるスルフォラファンという成分には抗酸化作用と解毒作用があり、ガンを抑制するという報告が。なお、スルフォラファンの濃度がもっとも高いのは発芽3日目のもの。

### 品種群

#### 茎ブロッコリー

茎の部分が長く、その食味がアスパラガスに似ている。小分けにする手間が不要なので、便利。「スティックセニョール」はその代表種。

#### 紫ブロッコリー

花蕾（からい）の鮮やかな紫色はアントシアニンの色。残念ながらゆでると緑に変色する。

## おいしいコツ

### 蒸しゆで

ビタミンの流出を防ぐので、味も栄養も満足できるおいしいゆで方。フライパンにブロッコリーと塩ひとつかみを入れ、半分つかるくらいの水を注いで強火にかけ、ふたをして３分ほどでＯＫ。

### 保存方法

かためにゆでたブロッコリーは、冷蔵庫なら２～３日、冷凍庫なら１か月ほど保存可能。

### 茎も食べよう

栄養たっぷりの茎は、皮をむいて薄切りにしてから塩ゆでに。そのままでも、炒め物にしても、ホクホクとおいしい。

料理

## ブロッコリーのフライ

**材料**

ブロッコリー…１株
衣
　小麦粉、卵、パン粉…適量

**作り方**

1. ブロッコリーは小房に分け、衣をつける。
2. 170℃の油で揚げる。

## ブロッコリーのわさびしょう油漬け

**材料**

ブロッコリー…½株
しょう油…小さじ２
わさび…適量
削り節…少々

**作り方**

1. ブロッコリーは小房に分け、ゆでておく。
2. わさびしょう油に１時間ほど浸ける。
3. 器に盛り、仕上げに削り節をかける。

## ブロッコリーのペンネ

**材料**

ブロッコリー…１株
ペンネ…150g
にんにく…１片
アンチョビフィレ…３枚
塩、こしょう…適量
パルメザンチーズ…適量
オリーブ油…適量

**作り方**

1. たっぷりの塩を入れてペンネをゆでる。ゆであがる３～４分前に、小房に分けたブロッコリーを加える。
2. フライパンにオリーブ油、きざんだにんにくとアンチョビフィレを入れて熱し、ゆであげた **1** にかける。
3. 塩、こしょうで味を調え仕上げにパルメザンチーズをふる。

## ブロッコリーのひき肉あんかけ

**材料**

ブロッコリー…１株
ひき肉あん
　豚ひき肉…100g
　しょうが…少々
　水、しょう油、砂糖、
　酒、みりん…適量
　水溶きかたくり粉…適量

**作り方**

1. ブロッコリーは小房に分けて、ゆでておく。
2. 鍋に水を入れ、沸騰したらひき肉とおろししょうがを加えて火を通す。アクを取ったら、調味料を入れて弱火で煮る。
3. 味がなじんだら水溶きかたくり粉でとろみをつけ、器に盛ったブロッコリーにかける。

## 栽培分布図

愛知、北海道、埼玉などの収穫量が多い。

## おいしいカレンダー

●旬

**1** **2** **3** 4 5 6 7 8 9 10 **11** **12**

夏に出回るものは北海道産が多い。

# カリフラワー

cauliflower

## ガン予防効果に加え美肌や疲労回復効果も

地中海東部沿岸原産で、キャベツの仲間。ブロッコリーの突然変異から生まれたものといわれています。日本には明治初頭に導入されましたが、市場に出回るようになったのは、戦後になってからです。

食用の部分は花蕾《からい》といい、白のほかにオレンジや紫の種類もあります。

疲労回復や美肌作りに欠かせないビタミンCが豊富で、加熱しても損失が少ないのが特徴です。また、アブラナ科の野菜に含まれるイソチオシアネートには、免疫機能を高め、ガンの発生を抑える効果があるといわれています。

茎にもビタミンCが豊富なので、捨てずに食べましょう。

白いつぼみがぎっしりつまって盛り上がり、しっかりとした重みのあるもの

茶色く変色したり、はん点が出ているものは鮮度が落ちているので注意

### Data

**注目の栄養成分**
ビタミンC、$B_1$、$B_2$、カリウム、糖質、たんぱく質、食物繊維

**エネルギー**
28kcal／100g

**おいしい時期**
11月～3月

**保存**
かためにゆでて、冷凍庫で保存。生なら冷蔵庫の野菜室で１～２日

### 品種群

#### 「バイオレットクイーン」

花蕾（からい）部分が紫色の品種。紫なのはアントシアニンが含まれているから。

#### 「オレンジブーケ」

オレンジ色の有色品種。ゆでるともっと濃い色になる。カロテンを含む。

#### ロマネスコ

イタリア伝統品種。「うずまき」「さんごしょう」の別名も。黄緑色のゴツゴツとした見た目が特徴。

# 世界一美しい野菜 ロマネスコ

イタリアの伝統野菜ロマネスコは、ヨーロッパではたいへんポピュラーなカリフラワー。直径は30㎝以上ある大型の晩生品種です。つぼみの集合体であることは通常のカリフラワーと同じですが、そのひとつひとつがピラミッド形をしており、全体のシルエットも円すい形。まるでオブジェのような存在感をもっています。さらに驚くのはその風味で、ホクホクした食感の中に甘みとうまみがぎっしり。ゆでると翡翠《ひすい》色にかわるところも印象的です。

ローマっ子たちお気に入りの冬の味覚――機会があれば、ぜひお試しを。

## おいしいコツ

### おいしくゆでるコツ

カリフラワーをゆでるときに、小麦粉を水で溶いたものをゆで湯に加えるとふっくら仕上がる。理由は小麦粉を入れると沸点が上がり、短時間でゆであがるだけでなく、表面をコートすることでうまみを逃がさないから。さらにアクを取ってくれる効果もある。ただし、ふきこぼれないよう注意しよう。
ゆで湯にレモンや酢を入れると、より白く美しく仕上がる。こちらもあわせて。

### 保存法

ラップで包んで冷蔵庫の野菜室で保存。時間がたつと白い部分が汚くなるので、ゆでてから冷凍しておくのもよい。

## 料理

### カリフラワーのカレーマリネ

**材料**

ゆでたカリフラワー…適量
A　サラダ油、ビネガー、塩、こしょう、カレー粉…適量

**作り方**

ゆでたカリフラワーをAのカレードレッシングに浸け込む。

### カリフラワーのグラタン風

**材料**

カリフラワー…½個
A　マヨネーズ…大さじ1
　生クリーム…100cc
　パルメザンチーズ…小さじ1
　塩、こしょう…少々

**作り方**

1. カリフラワーは小房に分け、ゆでておく。
2. 耐熱皿に **1** を入れ、Aの材料を合わせて **1** にかける。
3. オーブントースターで色がつくまで焼く。

## 栽培分布図

徳島、愛知、茨城産が多く出回っている。

## おいしいカレンダー

●旬

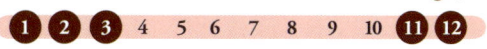

1 2 3 4 5 6 7 8 9 10 11 12

ブロッコリー人気に押され、生産量は減少傾向にある。

葉

淡色野菜

# レタス

head lettuce

## ゆでて、炒めて、たっぷり食べよう

原産地は、地中海沿岸から西アジア。野生種を改良し、さまざまな品種が生まれました。日本ではチシャと呼ばれ、10世紀ごろから栽培していたといわれていますが、現在のようなレタスが入ってきたのは明治時代から。60年代以降、サラダの主役として広く栽培されるようになりました。

全体の約96%が水分で、ビタミンC、E、カロテン、カルシウム、カリウム、鉄、亜鉛などを含みます。

サラダのイメージが強い野菜ですが、炒め物、鍋、スープなど加熱調理もおすすめ。油とともに食べることでカルシウムの吸収率がアップし、しんなりしてかさが減ることで、食物繊維をたっぷり摂れるようになります。

**Data**

**注目の栄養成分**
ビタミンC、E、カロテン、カルシウム、カリウム、鉄、亜鉛

**エネルギー**
土耕栽培：11kcal／100g

**おいしい時期**
4月～9月

**保存**
外葉で包み、ビニール袋に入れて冷蔵庫で2～3日

葉にハリがあってみずみずしく、ゆるやかに結球しているものがおいしい

玉レタス

芯が小さく、葉がぎっしりつまっていないものがよい

### 乳状の汁はサポニン様物質

レタスの語源はラテン語の「乳」。和名の「チシャ」も「乳草」から変化したものといわれている。レタスの茎を切ると、白い乳状の液が出るが、正体はサポニン様物質。苦みがあるが、食欲を増進し、肝臓や腎臓の機能を高める働きがある。

### イライラを鎮めるリラックス効果あり

「レタスを食べると眠くなる」といわれるが、乳状のサポニン様物質には、ラクツカリウムが含まれており、鎮静、催眠の効果があるといわれている。また、カルシウムはイライラを鎮めるので、ストレスがたまっている人は、レタスを油で炒めて、たっぷりと食べてみては。

# 高原レタスは保冷トラックでやってくる

一年を通して全国的にリレー生産されているレタス。レタスは冷涼で乾燥した気候を好み、気温20度前後でもっともよく育つので、季節ごとに産地がかわります。夏は高冷地の長野、冬は暖かい香川、春と秋は茨城から多く出荷されています。

年間生産量日本一を誇る長野県では、レタスの鮮度を保持したまま輸送できるよう、1973年から真空冷却システムの導入を始めました。

箱づめされたレタスは予冷庫で急激に冷却され、低温のまま保冷トラックで市場へ運ばれます。レタスの需要が高まったことと相まって、この流通方法は全国に広がりました。今では生産量の約7割が予冷出荷されているのです。

深夜収穫したレタスをすぐに予冷して早朝に出荷し、スーパーの開店にはもう棚に並べるという早業も、当たり前になっている昨今です。

## 栽培分布図

春レタスは茨城の収穫量が多く、次いで長野。夏秋レタスは長野が60%以上を占めている。

## おいしいカレンダー

●旬

1 2 3 **4 5 6 7 8 9** 10 11 12

4〜5：春レタス　6〜9：夏秋レタス

11月〜3月に出回る冬レタスは、茨城などでハウス栽培されている。

## おいしいコツ

### 変色を防ぐには手でちぎる

レタスは「金気を嫌う」というが、刃物で切ると切り口が茶色くなる。また、手でちぎると断面が粗くなるので、ドレッシングがからみやすくなる。

### 油で炒めると吸収率が高まる

レタス類はカルシウムを多く含む。また品種によってはカロテンが豊富なものもあるので、油やたんぱく質との組み合わせは効果的。

### レタス炒め

**材料**

レタス…½個
ちりめんじゃこ…適量
塩…少々
ごま油…適量

**作り方**

1. レタスは食べやすい大きさに手でちぎる。
2. ごま油でじゃこを炒め、レタスを加える。
3. 塩で味を調える。

### 安心への下準備

残留物質の心配があるなら、外側の葉は取り除く。

品種群

## サラダ菜

バターヘッドとも呼ばれるのは、葉にバターを塗ったような照りがあるから。カルシウム、鉄、各種ビタミンなどが豊富で栄養価が高い緑黄色野菜。

## フリルレタス

葉が厚く、シャキシャキしている。小さめにちぎってサラダにすると、たいへんおいしい。

## 「サニーレタス」

代表的なリーフレタスのひとつ。葉先は濃い紅色で葉質はやわらか。サラダや巻き物に。「サニーレタス」はブランド名。

## シルクレタス

リーフレタスの一種。葉先が紅色で細かなウエーブがある美しいレタス。苦みがある「ピンクロースター」はブランド名。

## コスレタス

ロメインレタスともいう。シーザーサラダによく使われるレタス。葉は厚くしっかりとしているので、加熱調理にも向いている。

## 「ブーケレタス」

水耕栽培で作られたやわらかいレタス。花嫁の持つブーケに似た美しい形からこの名がつけられた。「ブーケレタス」はブランド名。

## サンチュ

かきちしゃとも包菜とも呼ばれる。葉をかきとって食べるレタス。焼き肉には欠かせない葉ものとして人気。

## 茎レタス

セルタス、ステムレタスとも呼ばれる。不結球レタスで、おもに若い葉と太い茎を食す。茎は生でも加熱してもおいしい。細く切って乾燥させたものが山くらげで、コリコリした食感が特徴。

# セロリー

celery

## 精神を安定させる精油成分が

ヨーロッパ、西アジア、インドなどが原産で、紀元前から薬用、におい消しなどに利用されてきました。日本へ伝わったのは、16世紀末。加藤清正が朝鮮出兵の際に持ち帰ったといわれ、その後、西洋種などが導入されますが、一般に普及したのは、戦後のことです。

ビタミンC、B群、ミネラル類、食物繊維などが含まれていますが、とくに葉の部分にカロテンが多いので、葉柄（茎）だけでなく、葉も捨てずに食べましょう。

また、独特の香りはアピインという精油成分。精神を安定させ、不眠やイライラにも効果があるといわれています。ほかにも、抗酸化作用の高いポリアセチレンを豊富に含んでいます。

### 葉も有効活用しよう

みじん切りにしてしょうゆ、みりん、酒でいりつけて佃煮に。ごまやじゃこ、削り節などを加えると栄養バランスもよくなる。また、葉を干して入浴剤にすると、保湿効果がある。

### シャキシャキとした新鮮さを保つには

葉と茎を分け、それぞれをビニール袋に入れて冷蔵庫に。野菜室で立てて保存すると日もちがいい。
茎がしんなりしてきたら根元を冷水につけると、シャンとする。

葉がイキイキとしていて、緑色が鮮やかで、ハリがあるもの

葉柄が肉厚のもの。白いものはやわらかく甘みがあり、緑のものは香りが強い

**Data**

**注目の栄養成分**
ビタミンC、B群、カロテン、カルシウム、カリウム、食物繊維、アピイン、ポリアセチレン

**エネルギー**
12kcal／100g

**おいしい時期**
11月～5月

**保存**
葉と茎に分け、ビニール袋で包む。立てて冷蔵庫の野菜室に入れ、2～3日

料理

### 簡単セロリースープ

**材料**
セロリー…2本
コンソメスープ…適量
ごま、塩、こしょう…少々

**作り方**
1. 鍋にコンソメスープを煮立て、薄切りにしたセロリーを入れる。
2. セロリーがやわらかくなったら、塩、こしょうで味を調え、器に盛ってから、ごまをふる。

品種群

### ホワイトセロリー

水耕栽培で作られた白いセロリー。通常のものに比べ香りが弱く、筋もないので食べやすい。

# エンダイブ

菊乳草

endive

## 独特のほろ苦さが人気の西洋野菜

地中海沿岸が原産で、古代エジプト、ギリシャ時代から栽培されていたようです。

葉がちぢれ、切れ込みの入った縮葉種と、ちぢれのない広葉種がありますが、日本ではおもに縮葉種が栽培されています。

独特のほろ苦さがあり、そのまま生育すると苦みが強くなるので、ある程度育ったら外側の葉をまとめて縛り、内部の葉を軟白栽培します。

カロテン、ビタミン$B_2$、Cのほか、カリウム、カルシウム、鉄分などのミネラル、食物繊維を多く含む、近年人気の西欧野菜です。

内側のやわらかい部分はサラダに、外側の葉は煮込みや炒め物に向いています。

### Data

**注目の栄養成分**
カロテン、ビタミン$B_2$、C、カリウム、カルシウム、鉄分、食物繊維

**エネルギー**
14kcal／100ｇ

**おいしい時期**
10月～3月

**保存**
ビニール袋に入れて冷蔵庫に立てて入れ、2～3日

茎の白い部分が多く、葉先が細かくちぢれてみずみずしいもの

軟白処理した芯に近い部分は、やわらかく、ほろ苦さと甘みがある

料理

### エンダイブのシーザーサラダ

**材料**

エンダイブ…1株
クルトン、パルメザンチーズ…適量
A｜オリーブ油、ワインビネガー、マヨネーズ、おろしにんにく、塩、こしょう…適量

**作り方**

1. エンダイブは洗ってから食べやすい大きさにちぎって器に盛り、クルトンとパルメザンチーズをのせる。
2. Aの材料を合わせてドレッシングを作り、**1** にかける。

淡色野菜

# トレビス

trevise

## 苦みと色がアクセントに

原産地は、ヨーロッパや北アフリカなど。現在のおもな産地はイタリアで、日本には80年代に輸入され始めた、日本人にとっては比較的新しい野菜です。

　ワインレッド色の葉に白い葉脈が入り、丸く結球します。外見は紫キャベツに似ていますが、まったくの別科。キク科キクニガナ属でチコリーの仲間です。

　シャキシャキした歯ざわりとほろ苦さがもち味で、サラダや前菜などに利用されます。

　ビタミンC、$B_1$、カリウムなどを含みますが、栄養価はあまり高くありません。

### 苦みでさわやかに

イタリア、フランス料理によく登場するトレビスは、加熱すると苦みが増すので、生で食べるのが一般的。肉料理のつけ合わせなどにすると、独特のほのかな苦みが口をさっぱりとさせてくれる。
抗酸化作用の高いオリーブ油との相性がよく、味、栄養バランスもよくなる。

葉の色が鮮やかでツヤがあり、みずみずしいものが新鮮

**Data**

**注目の栄養成分**
ビタミンC、$B_1$、カリウム、食物繊維

**エネルギー**
17kcal／100g

**おいしい時期**
11月～3月

**保存**
新鮮さが命。ラップに包んで冷蔵庫で1～2日

淡色野菜

# チコリー

菊苦菜

chicory

## 苦みと歯ざわりを楽しむ大人の味

多年生の葉菜で、フランスでは古くから栽培されていますが、日本で出回るようになったのはごく最近のことです。

　食べる部分は軟白した芽。紫外線を遮断して栽培しているため白くやわらかなのですが、栄養的には食物繊維以外、特筆すべきものはありません。根をきざんで乾燥し、焙煎したものはチコリーコーヒーといわれ、独特の苦みがあります。

　仏語読みでアンディーブと呼ぶことがあり、そのため、エンダイブと混同されることがあります。

太くてツヤがあり、傷がなく、巻きがしっかりしているもの

### オードブルやサラダに

１枚ずつはがした舟形の葉にチーズやハムなどをのせて、オードブルにするのが一般的。きざんでサラダに入れたり、グラタンなどに加えて苦みを添えても。

**Data**

**注目の栄養成分**
食物繊維

**エネルギー**
17kcal／100g

**おいしい時期**
1月～3月

**保存**
ラップに包み冷蔵庫の野菜室に。できるだけ早く使い切る

緑黄色野菜

# ロケットサラダ

rocket salad

## ごまの香りと苦みがもち味

地中海沿岸地方原産。ルッコラの名でも知られ、イタリアやフランスでサラダなどによく使われる野菜です。

イタリア料理の普及とともに人気が出た日本での歴史が浅い野菜で、最近は気軽に手に入るようになりました。

ごまの香りとピリッとした辛み、苦みが特徴で、葉はタンポポに似ています。

ビタミンC、Eが豊富で、カルシウムはピーマンの約15倍、鉄分はモロヘイヤの1・6倍といわれ、栄養価も抜群。抗酸化作用が高く、美肌作りに効果的な野菜です。

サラダなど、生で食べるのが一般的ですが、おひたしや炒め物などもおすすめです。

### コンテナガーデンでも手軽に

栽培は比較的容易なのでぜひ家庭菜園で試してみたい野菜。種まきは春なら3月〜5月、秋なら9月〜10月が適期。種をたっぷりまき、どんどん間引いていくのがコツ。間引き菜は若くてやわらかいので、サラダに。

若い葉にはギザギザが少ない。葉先までピンとしてみずみずしいもの

葉が下から密生しているものは、生育がよく、香りも強い

**Data**

**注目の栄養成分**
ビタミンC、E、カルシウム、鉄

**エネルギー**
17kcal／100g

**おいしい時期**
4月〜7月、10月〜12月

**保存**
鮮度が落ちると香りも落ちる。ビニール袋に入れ冷蔵庫の野菜室で1〜2日

料理

### 鶏レバーとロケットサラダのサラダ

**材料**
ロケットサラダ…1袋
鶏レバーのフライ
（鶏肉の唐揚げでも）…200g
A｜粒マスタード、ワインビネガー、たまねぎ（みじん切り）、オリーブ油、塩、こしょう…適量

**作り方**
1. 鶏レバーのフライを皿に盛り、その上にロケットサラダをのせる。
2. Aの材料を合わせてドレッシングを作り、1にかける。

品種群

### 「セルバチコ」

ワイルドロケットともいう。野生種に近い品種で多年生。辛みがより強いのが特徴。

# クレソン
## 水芥 water cress

## たっぷり食べて血をきれいにする

原産地であるヨーロッパでは、古くから、野生のクレソンを薬用として利用してきました。

日本へ入ったのは明治初頭。当初は日本に滞在する外国人向けに栽培していたものが、きれいな水辺や湿地で野生化し、各地に広がりました。

わさびの仲間で、独特の香りとさわやかな辛みがあり、ステーキなど肉料理のつけ合わせによく合います。

カロテン、ビタミンC、B群などのビタミン類、カルシウム、鉄、リンなどのミネラル類が豊富で、血液の酸化防止や赤血球の生成、貧血予防効果があります。また、生活習慣病の予防や強壮、消化促進などにも効果があるといわれています。

葉が濃緑色で密生し、葉先までハリがあってみずみずしいもの
余分なヒゲ根がなく、茎が締まっているもの。香りの強いものが新鮮

### Data

**注目の栄養成分**
カロテン、ビタミンC、B群、カルシウム、鉄、リン

**エネルギー**
13kcal／100g

**おいしい時期**
4月～5月

**保存**
コップなどに水を入れて挿し、葉に袋をかけて冷蔵庫で2日程度

### 生だけでなくゆでてもおいしい

カロテンやカルシウムが多く含まれ、美肌や貧血予防といった女性にうれしい効果がある。調理法を工夫してたっぷり食べよう。ゆでておひたしやごま和えに、きざんでスープやみそ汁、チャーハン、卵とじにも。おすすめは「豚ばら肉とクレソンの鍋」。クレソンの独特の風味が豚肉とよく合う。ポン酢でさっぱりと。

料理

### クレソンのおひたし

**材料**
クレソン…2束
鶏ささみ…1枚
ポン酢…適量

**作り方**
1. クレソンはサッとゆで、食べやすい幅に切る。ささみはゆでて、ほぐしておく。
2. クレソンとささみをポン酢で和える。

緑黄色野菜

# アスパラガス

asparagus

## 疲労回復効果がある アスパラギン酸を含む

葉や枝が出る前の若芽と茎を食用するアスパラガス。ヨーロッパでは紀元前から栽培されていましたが、日本に伝わったのは江戸時代。当時は観賞用で、大正時代に本格的な栽培が始まりました。

グリーンアスパラガスは、カロテン、ビタミンC、E、B群が多い緑黄色野菜です。また、疲労回復、スタミナ増強に効果のあるアミノ酸の一種、アスパラギン酸が多く含まれています。穂先に含まれるルチンは、毛細血管を丈夫にする働きがあり、動脈硬化の予防に効果があるといわれています。

芽が出る前に土寄せして軟白栽培したホワイトアスパラガスは、栄養価よりもやわらかな食感と、香りを楽しむ野菜といえるでしょう。

穂先が締まっているもの
緑が鮮やかで、全体にハリがあるものは新鮮
切り口が丸くて白く、みずみずしいものが新鮮。変色しているものは避ける

### Data

**注目の栄養成分**
カロテン、ビタミンC、E、B群、アスパラギン酸、ルチン、食物繊維

**エネルギー**
21kcal／100g

**おいしい時期**
5月～6月

**保存**
新聞紙などで包み冷蔵庫に立てて入れ、2～3日。塩ゆでしてから冷凍保存することも可

### 濡らした新聞紙で包む

穂先を傷めないよう注意し、濡らした新聞紙で包んでからビニール袋に入れ、冷蔵庫に立てて保存。

### 根元は手で折る

根元のかたい部分は手でポキンと折り取る。かたい皮とはかまは、ピーラーでむいてもよい。

### ゆですぎは禁物

たっぷりの湯を沸かし、まず根元を立てて入れて10秒数える。その後全体を入れて約1分。ザルに取り自然に冷ます。

料理

### アスパラガスのマヨネーズ焼き

**材料**
アスパラガス…1束
トマト…1個
マヨネーズ…大さじ2

**作り方**
1. 耐熱皿にスライスしたトマトを敷き、その上にアスパラガスをのせる。
2. マヨネーズをかけ、オーブントースターで焼く。

品種群

### ミニ

グリーンアスパラガスを10㎝ほどの長さで若採りしたもの。下処理の手間がかからないので人気。タイなどからの輸入物が多い。

### ホワイト

5月下旬～6月にのみ出荷されるのは北海道産の露地もので、うまみが濃い。土をかぶせ、遮光して栽培する。

淡色野菜

# アーティチョーク

朝鮮あざみ

artichoke

## ホクホクした食感がもち味

アーティチョークは、チョウセンアザミのつぼみ。食べるのは、やわらかなガクと花《か》托《たく》で、ほのかに甘くホクホクとした味わいは、一度食べるとやみつきになるといわれています。

地中海沿岸から中央アジア原産で、15世紀にイタリアで本格的な栽培が始まったといわれています。イタリア、フランスをはじめ、ヨーロッパやアメリカで人気のある野菜ですが、日本ではアメリカなどからの輸入品がほとんどで、国内生産はごくわずかです。

葉や茎は昔から薬草として用いられ、とくにシナリンという化合物は、血中脂肪を減らし、肝機能を高める働きがあるといわれています。

### ゆで方

逆さにして塩水に1時間ほど浸け、汚れを出す。ガクのすぐ下で茎を切り落とし、切り口に酢をつけておく。鍋にアーティチョークが浸かるほどの水を入れ、酢と塩を加えて火にかけ、沸騰したら茎を下にして30分ほどゆでる。外側のガクをはがして、ゆで具合をチェックし、よければザルにとって冷ます。

花托と呼ばれる食用部分

### 食べ方

ガクのつけ根の肉厚な部分を歯でしごくようにして食べるのが一般的。マヨネーズソースがよく合う。オリーブ油に漬けたビンづめも市販されており、これはにんにくとハーブの風味。

ガクがふっくらしていて、緑の色が鮮やか。切り口がみずみずしいもの

**Data**

**注目の栄養成分**
カリウム、ビタミンC、食物繊維

**エネルギー**
39kcal／100g

**おいしい時期**
5月～6月

**保存**
ビニール袋に入れ冷蔵庫の野菜室で1～2日

### 栽培分布図

ほとんどが輸入。おもな輸入先はアメリカ、フランスなど。国内では神奈川産などが少量出回っている。

ヨーロッパのマーケットでは、ポピュラーな野菜。

# みつば

## 三つ葉

Japanese honewort, mitsuba

# 食欲を高めてくれる香り成分。ストレスや不眠の解消にも

日本など、東アジアに広く自生するセリ科の野菜。1本の茎に3枚ずつ葉がつくことが、この名の由来です。

日本では、野草として古くから食用にしてきましたが、本格的に栽培するようになったのは江戸時代から。さわやかな香りとみずみずしい緑、シャキッとした歯ごたえは、日本料理を引き立てる名傍役です。

葉にはカロテン、ビタミンC、鉄などが比較的多く含まれています。ただし、軟白栽培される切り三つ葉は、カロテンや鉄が少なくなります。

香りが命の野菜なので、新鮮なうちに使い切りましょう。

### おいしい食べ方

軽くゆでて、わさびじょう油でかまぼこと和えたものは、さっぱりとした大人の味。サッと煮てから卵でとじると、ビタミンやミネラルが効率よく摂れる。

### 品種群

**根三つ葉**

土寄せ軟白しているので、茎の下部は白い。糸三つ葉に比べると風味が強い。根も食用に。

**サラダ三つ葉**

生食用の切り三つ葉。ただし軟白していないので、根元まで緑色。そのため栄養価は高い。

**切り三つ葉**

遮光軟白した三つ葉の根元を切ったもの。関東地方の雑煮には欠かせない。

葉の緑が濃く鮮やか。葉先までイキイキとした、香りの強いもの
茎がみずみずしいもの。切り三つ葉の場合、切り口が新鮮なもの

**糸三つ葉**

### Data

**注目の栄養成分**
カロテン、ビタミンC、鉄

**エネルギー**
糸三つ葉の葉：12kcal／100g

**おいしい時期**
糸三つ葉：周年
根三つ葉：3月～4月
切り三つ葉：12月～2月

**保存**
キッチンペーパーに包み、ビニール袋に入れて、冷蔵庫で1～2日

### 根元を土に植えてもう一度楽しむ

根三つ葉や糸三つ葉には根がついているので、これを土に植えてみよう。数日で新しい芽が伸び出し、数週間もたつと立派な株に育ってくれる。彩りや薬味がちょっとほしいとき、必要なぶんだけカットすれば、いつでも摘みたてが手に入る。

# しそ
## 紫蘇 perilla

## カロテン含有量は群を抜いて高い

中国原産の一年草で、日本では、平安時代以前から栽培されていたといわれています。

漢字で「紫蘇」と書くことからもわかるように、本来しそとは赤じそのこと。緑のしそは赤しその変種で、青じそ、大葉ともいい、さわやかな香りとさっぱりした味わいが特徴です。

青じそはビタミン類、ミネラル類が多く、とくにカロテンとカルシウムは野菜の中でも群を抜いています。赤じそはカロテンの量が青じそより少ないものの、ほかの栄養成分は、青じそとかわりません。

また香り成分に防腐作用があることは、古くから知られていますが、最近では、実から採れる油に強い抗酸化作用が認められるなど、健康野菜としてますます注目を集めています。

### 夏バテ予防にしそジュース

赤じその旬に作るしそジュースで疲労回復を。水から煮て砂糖とクエン酸を加える。

### 保存法

しめらせたキッチンペーパーに包み、ビニール袋に入れて冷蔵庫の野菜室で。

葉の緑が濃く、みずみずしいハリとツヤがあるもの

葉先までピンとしていて、葉や切り口に変色がないもの

### Data

**注目の栄養成分**
カロテン、ビタミンC、$B_1$、$B_2$、カルシウム、カリウム、鉄、ペリルアルデヒド

**エネルギー**
32kcal／100ｇ

**おいしい時期**
青じそ：7月～10月
赤じそ：6月～8月

**保存**
キッチンペーパーに包み、ビニール袋に入れて冷蔵庫の野菜室で2～3日

### 品種群

#### 赤じそ

おもに梅干しの色つけ用として6月～8月だけ出回る。酢などに浸けると鮮やかな赤色にかわる。

#### 穂じそ

しその花穂。さしみのつまや薬味などに利用される。

#### エゴマ

しその変種。その独特の香りは韓国料理で好まれており、焼き肉といっしょに食される。

# くうしんさい
## 空心菜
water spinach

## シンプルな油炒めで夏バテ予防

　さつまいもの葉茎によく似た中国野菜で、中身が空洞になっていることから、この名前がつきました。

　高温多湿の中国南部や東南アジアで広く栽培され、日本では沖縄県など暖かい地域で栽培されています。

　地面を這うように伸びる若い葉や茎を食用にし、葉にはぬめりがあり、茎はシャキシャキした歯ごたえがあります。味はクセがなく、炒め物やおひたしなど、さまざまな調理法が楽しめます。

　カロテン、ビタミンCなどのビタミン類、鉄、カリウムなどのミネラル類が豊富。とくに鉄は、モロヘイヤの1・5倍含まれ、夏バテ予防、疲労回復に効果があります。エンサイ、ヨウサイ、アサガオナという別名があります。

葉や茎がみずみずしい緑で、全体にハリがあるものを

茎の中が空洞になっている。切り口がきれいなものが新鮮

### Data
**注目の栄養成分**
カロテン、ビタミンC、鉄、カリウム
**エネルギー**
17kcal／100g
**おいしい時期**
6月～8月
**保存**
しめらせた新聞紙などに包み、冷蔵庫で保存

### 青菜炒めの定番
東南アジア料理で「青菜炒め」というと空心菜が登場することが多い。干しエビや豚肉などといっしょに炒めて、中華ではオイスターソースで、タイではナンプラーで味つけするのが定番。濃いめの味つけで手早く炒めるのがおいしさの秘訣。炒めてから時間が経つと色が悪くなる。

料理

### 空心菜のイカ炒め
**材料**
空心菜…1束
冷凍イカ…適量
にんにく…1片
中華スープのもと…適量

**作り方**
1. にんにくを炒め、5㎝ほどの長さに切った空心菜を入れる。
2. 火が通ったら、薄切りにしたイカを加え、中華スープのもとで味をつける。

品種群

### 空心菜スプラウト

アサガオの双葉そっくりな空心菜の芽。鍋に入れたり、サッとゆでたりしておひたしに。

# モロヘイヤ

Jew's marrow

## 「王様の野菜」が語源の健康野菜

アラビア語で「王家の野菜」を語源とするモロヘイヤは、中近東原産の緑黄色野菜。砂漠地帯でも生育する貴重な野菜として、エジプトでは5000年以上前から栽培されてきました。

日本に導入されたのは80年代と比較的新しい野菜ですが、栄養価の高さが認知され、栽培も容易なのでまたたく間に全国に普及しました。

カロテンの含有量は野菜の中でトップ。ビタミンB群、C、Eも豊富で、とくに$B_2$はほうれん草の約2倍、カルシウムは5倍といわれています。

また、胃の粘膜をうるおすマンナンが豊富。血糖値の上昇を抑えるため、糖尿病予防にも有効といわれます。

ほかの青菜同様、ゆでる、炒める、揚げるなど、さまざまな調理法に適しています。

若葉を食用するので、葉にハリがあってみずみずしく、茎にやわらかな弾力があるものを

### Data

**注目の栄養成分**
カロテン、ビタミンB群、C、E、カルシウム、鉄、ムチン

**エネルギー**
36kcal／100g

**おいしい時期**
7月～9月

**保存**
葉だけを密閉容器に入れて冷蔵庫で保存。冷凍もできる

### 包丁でたたく

葉をサッとゆで、包丁でたたくと、だんだんぬめりが出てくる。クセも香りもないので、このまま納豆に混ぜたり、しょう油をたらしてからご飯にのせても。

料理

### モロヘイヤ豆腐

**材料**
モロヘイヤ…1束
豆腐…½丁
だし汁、しょう油、みりん…適量

**作り方**
1. モロヘイヤの葉をゆで、細かくきざむ。
2. 1をだし汁としょう油、みりんでのばし、豆腐にかける。

### スープの作り方

熱したブイヨンスープにきざんだモロヘイヤを入れ、ひと煮立ちさせる。塩こしょうで味を調えたら溶き卵を流し入れる。中華風にアレンジする場合はしょう油で味をつけ、とろみをつけてから溶き卵を入れ、仕上げにごま油をたらす。

### おいしいカレンダー

●旬

| 1 | 2 | 3 | 4 | 5 | 6 | 7● | 8● | 9● | 10 | 11 | 12 |
|---|---|---|---|---|---|---|---|---|---|---|---|

群馬、三重、秋田産などが多く出回っている。

# つるむらさき

蔓紫

Indian spinach

## 免疫力を高める夏場のスーパー野菜

熱帯アジア原産のつる性植物で、つる先の若い葉と茎を食用にします。

日本では古くから染料として利用してきましたが、野菜として作られるようになったのは70年代から。葉、茎ともに緑色の青茎種と茎が赤紫色の赤茎種があります。

英名は「インドのほうれん草」ですが、ほうれん草とはまったくの別種で、栄養価はほうれん草以上。青菜が少ない真夏が旬で、カロテン、ビタミンC、$B_2$、カリウム、カルシウム、鉄などが豊富に含まれた栄養満点の夏野菜です。

独特の土臭さは、ゆでるよりも炒めたほうがうまく抑えられます。

葉の色が濃く鮮やかで、肉厚でツヤとハリのあるもの

切り口がみずみずしく、変色したり、かさついたりしていないもの

### Data

**注目の栄養成分**
カロテン、ビタミンC、$B_2$、カリウム、カルシウム、鉄

**エネルギー**
11kcal／100g

**おいしい時期**
7月～10月

**保存**
茎にしめらせたキッチンペーパーを巻き、ビニール袋に入れて冷蔵庫で2～3日

### 手早く調理するのがポイント

生でも食べられるが、風味にクセがあるので加熱調理が向いている。葉と茎のやわらかい部分をサッとゆで、カレー風味や中華風などの濃いめの味つけで。豊富に含まれるビタミンCは熱で壊れやすいので、調理はできるだけ短時間に。

料理

### つるむらさきの中華炒め

**材料**
つるむらさき…1束
オイスターソース…適量
にんにく…1片
ごま油…少々

**作り方**
1. つるむらさきはサッとゆでて水気をしぼり、食べやすい長さに切る。
2. にんにくを炒め、香りが移ったらつるむらさきを加え、オイスターソースで味をつける。
仕上げにごま油をたらす。

### おいしいカレンダー

●旬

1 2 3 4 5 6 ●7 ●8 ●9 ●10 11 12

暑さと湿気を好む夏野菜で、宮城、福島、山形、埼玉が主要産地。

# チンゲンサイ

## 青梗菜

qing geng cai

## 栄養素の吸収率を高めおいしく食べよう

中国原産の結球しない白菜の仲間で、日本でもっともポピュラーな中国野菜です。

カロテン、ビタミンC、Eなどのビタミン類が豊富で、強い抗酸化作用があり、ガンや生活習慣病の予防効果も。また、カルシウム、鉄などのミネラル類も多く、栄養価の高い緑黄色野菜です。

シャキシャキした歯ざわりとほのかに甘みのある淡泊な味わいと、煮くずれしないのがもち味で、洋風料理にもマッチします。アクがないので下ゆでが必要なく、油といっしょに摂ることで、ビタミン、ミネラルの吸収率がアップし、たんぱく質と組み合わせるとカロテンやカルシウムの吸収率が高まります。

葉が鮮やかな緑で、みずみずしくツヤのあるもの
茎の下部にハリがあり、肉厚でツヤのよいもの

### Data

**注目の栄養成分**
カロテン、ビタミンC、E、カルシウム、鉄

**エネルギー**
9kcal／100g

**おいしい時期**
9月〜1月

**保存**
しめらせた新聞紙などに包み、立てて冷蔵庫に入れると、もちがいい

料理

### チンゲンサイのアサリあんかけ

**材料**

チンゲンサイ…2株
アサリの水煮缶…1缶
しょうが…少々
酒、しょう油…少々
水溶きかたくり粉…少々

**作り方**

1. アサリと半量の煮汁、しょうがの千切り、水を鍋に入れ、火にかける。
   煮汁は塩気が強いので、水を加えて濃度を調整する。
2. 煮たったら酒としょう油で味を調え、水溶きかたくり粉でとろみをつける。
3. ゆでたチンゲンサイを皿に盛り、アサリあんをかける。

### 青菜の下ゆで中華風

熱したフライパンに油を入れ、チンゲンサイを入れて塩をふる。しんなりしたら、半分浸かるくらいの熱湯を入れてふたをし、火が通ったら水分を切る。こうすると色鮮やかに仕上がるうえ、栄養分の流出が少ない。

品種群

### ミニチンゲンサイ

手のひらにのるほどの小型チンゲンサイ。丸のまま調理できる手軽さが受けている。

# タアサイ
## 塌菜
ta cai

## 冬においしい万能野菜

中国原産のタアサイは、以前から如月菜《きさらぎな》の名で栽培されていましたが、日中国交回復をきっかけに再導入され、全国的に普及するようになりました。

夏から冬まで収穫できますが、旬は晩秋から冬。寒さにあたることで丈が伸びず、甘みは増して、もっともおいしくなります。品種は地面を這うように育ち、ひしゃげたような形になる如月菜、半立ち性のヒサゴ菜があります。

栄養価は高く、とくにカロテン、ビタミン$B_1$、$B_2$、カルシウムが豊富です。また、見かけよりも繊維質が少なく、味にもクセがないので、煮物、炒め物、和え物、鍋物など、どんな料理にも使える野菜の万能選手です。

### Data

**注目の栄養成分**
カロテン、ビタミン$B_1$、$B_2$、カルシウム、鉄

**エネルギー**
12kcal／100g

**おいしい時期**
11月〜2月

**保存**
新聞紙に包んでビニール袋に入れ、立てて冷蔵庫に

葉にしわが多く、濃緑色でハリとツヤがある。茎がみずみずしいものが新鮮

料理

### タアサイのからし和え

**材料**
タアサイ…½株
ちりめんじゃこ…適量
からし、だししょう油…適量

**作り方**
1. タアサイはサッとゆでて、水気をしぼって食べやすい長さに切る。
2. からしとだししょう油を合わせ、タアサイとじゃこを和える。

### アクが少なく調理しやすい

アクが少なく、葉もやわらかなのでそのまま調理できる。火の通りも早い。カロテンが豊富なので油炒めにすると吸収率がアップして効果的だが、タアサイのあっさりとした風味を活かして、スープやおひたしにしてもおいしい。

# あしたば
## 明日葉
ashitaba

## ビタミン、ミネラルが豊富

関東以南の温暖な海岸地帯に広く自生する山野草。生育が早く、今日若葉を摘んでも明日にはまた新芽が伸びてくることから「明日葉」の名がついたといわれています。

薬効のある山野草として古くから利用されていましたが、近年、栄養価の高さや効能が改めて認知され、八丈島、大島などの伊豆諸島を中心に栽培されるようになりました。今では特産品として「ハチジョウナ」の名でも呼ばれています。

セリに似た香りがあり、カロテン、ビタミンB群、C、Eなどのビタミン類とカルシウム、鉄などミネラル類を豊富に含み、滋養強壮にも効果があるといわれています。

葉の色が鮮やかで、葉先までみずみずしいもの
茎がかたいものは生長しすぎ。若くやわらかいものが美味


**Data**

**注目の栄養成分**
カロテン、ビタミンB群、C、E、カルシウム、鉄、フラボノイド

**エネルギー**
30kcal／100g

**おいしい時期**
2月～5月

**保存**
しめらせたキッチンペーパーで茎を包み、ビニール袋に入れて冷蔵庫で保存

料理

### 明日葉と卵のスープ

**材料**
明日葉…1束
卵…2個
ブイヨンスープ…適量
塩、こしょう…少々
水溶きかたくり粉、ごま油…少々

**作り方**
1. 明日葉はサッとゆでて、食べやすい長さに切る。
2. ブイヨンスープを煮立て、明日葉を入れ、塩、こしょうで味を調える。
3. 水溶きかたくり粉でとろみをつけ、卵を溶き入れる。仕上げにごま油をたらす。

### 強壮作用があり花粉症にも

若い葉を乾燥させた明日葉茶は、心臓病や高血圧に効果があるといわれ、古くからお茶にして飲まれてきた。明日葉には抗酸化作用があるカロテン、フラボノイドの一種カルコン、ビタミンEが豊富に含まれているので、花粉症にも効果があると期待されている。

### おいしいカレンダー

●旬

1 ❷ ❸ ❹ ❺ 6 7 8 9 10 11 12

花期（7月～10月）前の葉がやわらかくておいしい。

# 野菜の流通を知る

畑で収穫された農産物は、
その品質を保持しながら
短時間で
私たちの手元に届いています。
そのしくみは
どうなっているのでしょうか？

八百屋やスーパーで手に取る野菜に、こだわり品の宅配野菜。最近では、野菜料理をウリにする飲食店も増え、カウンターにずらりと生産者の顔つき野菜がかごに盛られている風景もみかけるようになった。まさに百花繚乱《りょうらん》ならぬ、百菜繚乱ともいえる状況だ。でも、こうした野菜たちがいろいろな農家さんの畑で育てられていることはわかるけれども、どうやって私たち消費者の手元に届いているのだろうか。野菜は農家さんが作っただけでは完結しない。その後、適切な「流通」が介在して初めて食べる人に届くのだ。

ここでは、野菜の流通がどのようになっているのか、どういった方式があるのかを概観していきたい。

## 流通には「表と裏」がある

まず、農産物が収穫されてから、それが商品となって消費者の手に渡るまでにどのような段階を経ているか、日本でもっとも標準的な流れを図1に示した。「中間流通業者」という言葉が耳慣れない人も多いだろうが、「卸」や「問屋」と呼ばれる業者と考えればいい。じつは、日本の流通パターンは、この中間業者のあり方で決まるのだ。

**【図1】一般的な、農産物が飲食店に届くまでの段階**

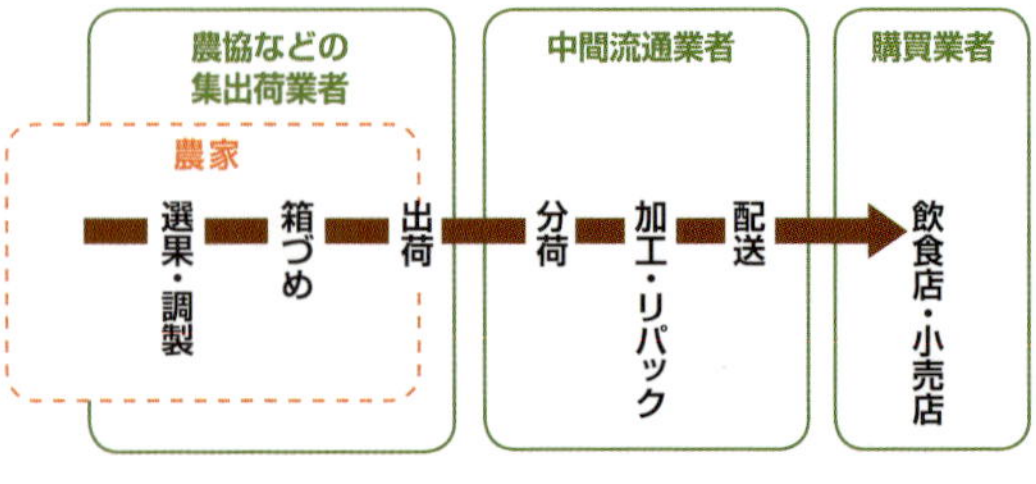
農協などの集出荷業者
中間流通業者
購買業者
農家
選果・調製
箱づめ
出荷
分荷
加工・リパック
配送
飲食店・小売店

農産物は農家によって収穫されたあと、農家自身か集出荷業者に集められ、規格（大きさ、見た目）に応じて分別（選果）され、箱づめして出荷される。これを中間流通業者が引き取り、行く先ごとに荷物を分け、必要があればつめ替え（リパック）や加工をして配送する。これがもっとも一般的な農産物流通の形。もちろん中間流通業者がやっていることを農家自身や農協がおこなうこともある。それが「産直」と呼ばれる方式。

日本の野菜流通には「表と裏」がある。「表の流通」とは、大量の農産物を毎日全国に流通する、いわば動脈だ。対する「裏の流通」とは、表の流通が運びきれない、もしくは表の流通の尺度に合わないものを運ぶ、いわば毛細血管のようなものである。何が違うのかといえば、野菜の価値を決める「ものさし」が違うということだ。

ものさしが違えば、流通される野菜もかわる。言いかえれば、どんな野菜がほしいかによって、流通がかわってくるということ。以降、その流通がどんなものさしをもっているのかを考えながら進めていきたい。

## 「表の流通」となる卸売市場

表の流通とは、この国の基幹流通である卸売市場を舞台としたもの。ここでいう市場とは、免許をもった人間だけが取引できる「卸売市場」のことで、じつに日本の農産物の75％程度が、この卸売市場（構造は図2参照）を通じて流通されている。

**【図2】卸売市場の構造と、卸と仲卸の仕事**

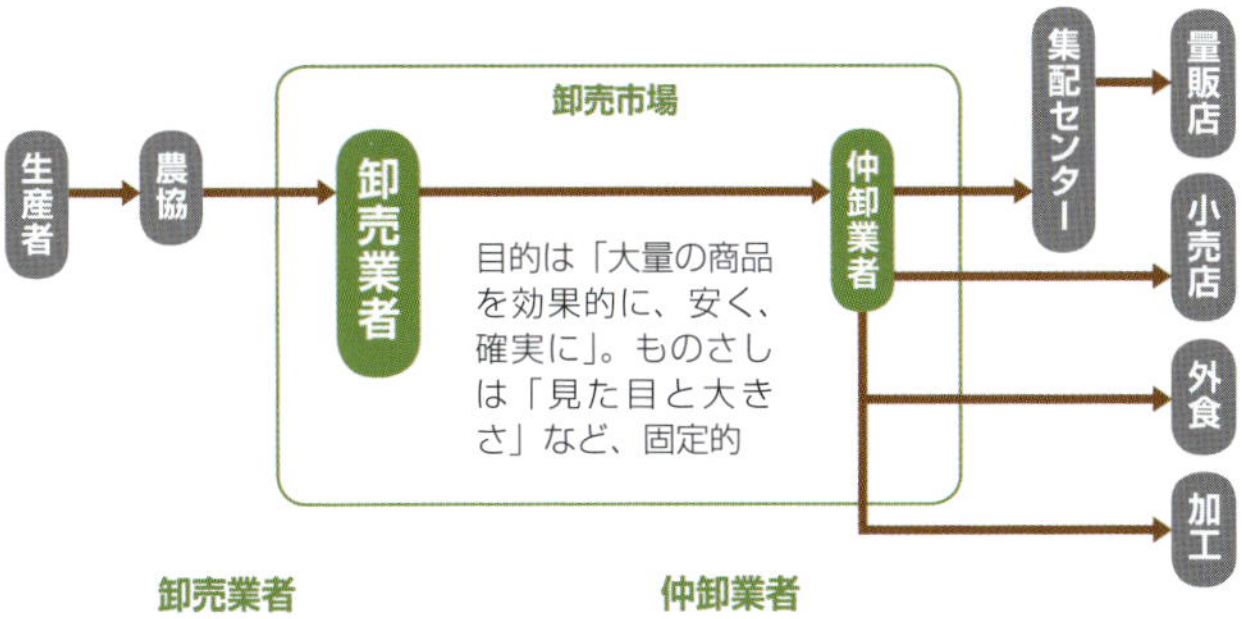
生産者
農協
卸売市場
卸売業者
目的は「大量の商品を効果的に、安く、確実に」。ものさしは「見た目と大きさ」など、固定的
仲卸業者
集配センター
量販店
小売店
外食
加工

**卸売業者**

全国から荷物を委託され、セリや相対で、仲卸や青果商などの買参人に対して取引をおこなう。非常に多量な荷物を扱う関係上、会社規模が大きく、ひとつの市場に2、3社ほど入っていることが多い。

**仲卸業者**

顧客の要望する数々の荷物を卸から買い求め、必要に応じて加工し、ひとまとめにして納品する。箱から出して皮をむいたり、きざんだりといったことまでやる仲卸が多い。卸に比べて小規模で、大きな市場では100社以上入っていることもザラである。

卸売市場は、歴史的な経緯から生まれている。時代劇に出てくる「おい、○×屋、御主もワルよのう…」という決まり文句があるが、ここでいう○×屋というのは問屋、つまり卸のこと。もちろんそういうところばかりではなかっただろうが、昔の問屋は生産者から安く買い、これを蔵に貯めて値をつり上げて高く売るということをしていたようだ。戦後の食糧難時代にもこうして儲ける問屋が多かった。これでは生産者も国民も不利益をこうむるということで、国が各県に設けた市場で公明正大に取引をしなさいという制度が大正12年にできた。これが卸売市場の始まりだ。

卸売市場には個人農家でも出荷できるが、出荷量の少ない農家がそれぞれ持ち込むのは効率が悪い。そこで組合を作り、地域で採れたものをまとめて卸売市場に持ち込むようにした。これが農業協同組合、つまり農協（現在ではJAと呼ぶ）の始まりで、昭和23年のことである。このように生産者から農協を通じて卸売市場に持ち込まれるというのが表の流通の「型」になった。

さて、卸売市場には日本で生産される野菜の7割以上が持ち込まれているが、それにはものすごい理由がある。じつは卸売業者は、生産者や農協から持ち込まれる農産物を必ず売ってあげなければならないという法律があるのだ。市場に持って行けば必ずお金になるという、一般企業からすれば夢のようなしくみ。ただし、生産者が価格を決めることはできず、市場内で需要と供給の関係で決まることになっている。このしくみが卸売市場の根幹で、生産者側からすれば「確実に売れる」ということで、卸売市場をメインの出荷先にするわけだ。これを「卸売市場流通」や「系統出荷」などと呼ぶ。

## 「ものさし」の存在とバリエーション。豊富な「裏の流通」

さて、戦後から高度成長期を経て流通量が爆発的に増加し、卸売市場流通ではしだいに商品を効率的に動かすことが重視されるようになっ

た。スーパーの台頭で、買い手が一度に購入する物品の量も増えてきた。そうなると、産地ごとに特色のある商品がたくさんあったり、サイズや箱の大きさなどがまちまちだったりでは取引しにくい。そこでS／M／Lとか秀／優／良などのようにサイズと見た目の状態で商品を分類するようになった。これを市場規格といい、全国の産地でおおむね共通する、市場に出荷する際の分け方のものさしとなった。

しかし、世の中には市場規格とは別のものさしを重視する人もいる。たとえば市場出荷を前提とした一般の野菜は、生産者のグループが均一なものを作れるように、化学肥料や農薬を使ってきれいな野菜を出荷する。だから、化学肥料や化学合成農薬を使わない野菜を入手したい人たちは、別のルートを必要とする。

70年代からの有機農業運動で、こうしたニーズに応える産直系と呼ばれる生産者団体が各地にできて産直活動をし、「大地を守る会」や「らでぃっしゅぼーや」のような独立系の宅配流通団体もさまざまなものが生まれた。最近では、レストランのシェフが産地と契約取引をし、市場規格とはまったく違うオーダーメイド型の野菜を入手して、すばらしい料理を生み出すようにもなっている。

このように、卸売市場流通とは違うものさしで評価された野菜を流通する方法を総称して「裏の流通」と呼んでいるわけだ。

## 「表と裏」はからまり合いながら進んでいく

こうしてみると、国民生活の基本となるような食糧供給を背負って、効率的に、できるだけ低価格で野菜を流通するしくみが図3の卸売市場流通、そこでは実現しにくい味や種類、栽培方法などのバリエーションを追求していく試みが裏の流通なのだといえる。

よく、産直取引や、卸売業者を抜いた「中抜き」取引が進むといわれるが、じつはそれはちょっと違う。産直や契約取引はすでに長年取り組まれてきているが、取引先が多くなると取引を管理するコスト自体が上がり、価格も硬直化してくることが多い。最近ではそれに気づいた売り手・買い手が市場流通に回帰しているケースも多いのだ。だから卸売市場流通はなくならない。

一方、野菜ブームで、レストランなどの飲食店が、野菜にオリジナリティを求めることが増えた。そうした新しいマーケットに機動的に対応できるのは裏の流通であり、こちらももっと拡がっていくだろう。

7：3という割合でこの両者がすみわけている現状が、どんなバランスに変化していくか、興味深いところだ。

**【図3】裏の流通はどのようになっているか**

卸売市場流通は、大量の商品を効率的にさばくことを目的に構築されている。一方「裏の流通」である市場外流通では、独自のものさし（規格）によって商品を評価するため、大きさや形にとらわれない商品を入手できる。ただし、卸売市場のような統一規格ではないから、小規模な流通形態になるのが普通だ。

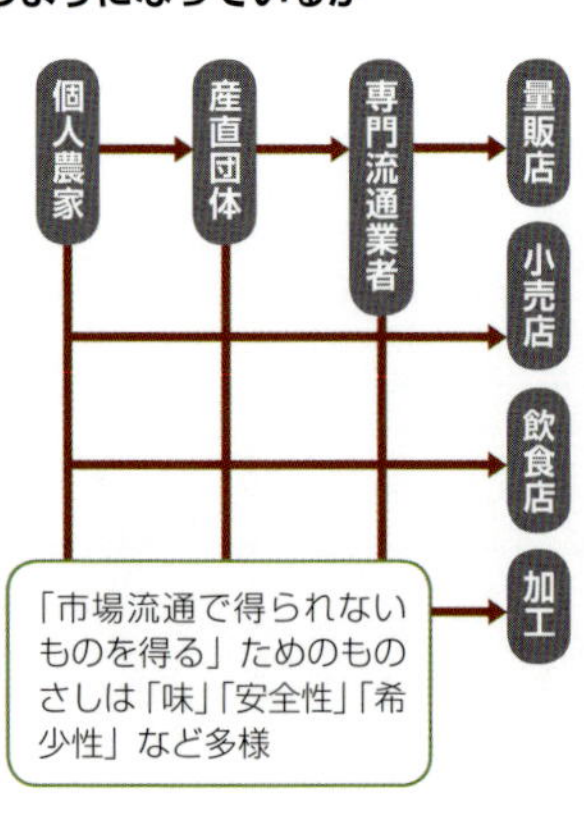
個人農家
産直団体
専門流通業者
量販店
小売店
飲食店
加工
「市場流通で得られないものを得る」ためのものさしは「味」「安全性」「希少性」など多様

山本謙治《やまもとけんじ》

農産物流通およびITコンサルタント。（株）グッドテーブルズ代表取締役。野村総合研究所を経て、現職に。現在はコンサルティングのほかに、講演や執筆と幅広く活動。著書は『実践　農産物トレーサビリティ』『実践　農産物トレーサビリティⅡ』（誠文堂新光社）『やまけんの出張食い倒れ日記（東京編）』（アスキー）ほか、多数。
https://www.goodtables.jp/

# 海藻、お茶、山菜、茸を食べる

野菜には分類されませんが、
野菜同様に日常的に
食されている海藻、
お茶、山菜、きのこ類を
まとめてあります。

# 海藻

seaweeds

## ミネラルたっぷりで体をきれいにする

海藻を食べるのは、日本人と韓国人ぐらいといわれていましたが、近年、欧米でも健康食品として注目されてきています。

海藻は、カロリーがほとんどなくナトリウム、カリウム、カルシウム、マグネシウム、鉄、リンなどミネラルの宝庫です。

また、こんぶやわかめ、もずくなどに含まれるぬめり成分は、水溶性食物繊維の一種、アルギン酸やフコイダン。高血圧、糖尿病の予防、コレステロール低下、便秘の解消に効果があります。さらにフコイダンには、免疫機能の活性、抗腫瘍作用があるといわれています。

ちなみに、食べる「かいそう」は「海藻」で、胞子で子孫を増やします。「海草」は種子で繁殖する植物です。

### ゆでることで鮮やかな緑に

採ったばかりのわかめの色は褐色。湯通しするとクロロフィルの働きで緑色にかわる。ふだん目にするのは、湯通ししたあと、塩漬けにしたり、乾燥させたりしたもの。

ふだんわかめとして食べているのは、葉体といわれる部分
めかぶ

わかめ

***Data***

**注目の栄養成分**
ナトリウム、カリウム、カルシウム、亜鉛、鉄、リン、カロテン、ビタミン類、食物繊維

**エネルギー**
まこんぶ:
170kcal/100g
わかめ:164kcal/100g
(すべて乾燥)

**おいしい時期**
それぞれ異なる

**保存**
乾物は密閉容器に入れて保存

料理

### だしこんぶの佃煮

**材料**
こんぶ(だしを取ったもの)…1枚
しょう油、砂糖…各大さじ1～2
酢…大さじ1
みりん…少々
梅肉…大さじ½
ごま…少々

**作り方**
1. こんぶは、3cm幅に切る。
2. 鍋にしょう油、砂糖、酢を入れて沸騰させ、こんぶと梅肉を入れて、中火で煮る。
3. みりんを加え、やわらかくなるまで煮つめたら、最後にごまをふる。

料理

### わかめのきんぴら

**材料**
わかめ、ねぎ…適量
油…適量
ごま、しょうゆ、みりん…少々

**作り方**
1. わかめは水で戻し、食べやすい大きさに切る。ねぎは斜め切りにする。
2. 油でねぎを炒め、わかめを加えて、しょう油とみりんで味をつける。
3. 皿に盛りつけ、ごまをふる。

## おいしいコツ

### おいしいこんぶだしの取り方

こんぶには、うまみ成分のグルタミン酸がたっぷり。おいしいだしを取るには、ちょっとしたコツを覚えて。

1

グルタミン酸は水に溶けやすいので洗わずに、かたくしぼったぬれぶきんで表面をふく。

2

こんぶは水から入れて鍋を火にかけ、沸騰する直前に取り出す。
取り出したこんぶは佃煮にするなどして活用しよう（右ページ参照）。

## 品種群

### 煮物用とだし用こんぶ

煮物に使われるのは、長こんぶや日高こんぶなど、やわらかいもの。だし用こんぶは幅が広く肉厚なもの。

### 羅《ら》臼《うす》こんぶ

だしこんぶやこぶ茶などに利用される。だしがにごる性質があるが、香りがよく、濃厚でコクが出る。

### 日高こんぶ

三石こんぶとも呼ばれ、やわらかで煮えやすく、味がよい。煮物用にも、だしこんぶとしてもよく使われる。

### 利尻こんぶ

おもにだしこんぶとして利用されている。甘みがあって味が濃く、香りも高い澄んだ透明なだしが取れる。

### 茎わかめ

わかめの茎の部分で、歯ざわりがいい。ぬめり成分のアルギン酸やフコイダンが豊富に含まれている。

### 生のり

海のミネラルがたっぷり。11月下旬ごろから若芽を収穫する。生のりは三杯酢などで食べるとおいしい。

### トサカのり(青)

赤は天日干しで、青はアルカリ処理で緑に、白は天日干しとアルカリ処理を繰り返して白になる。

### トサカのり(赤)

サラダでおなじみの海藻で、歯ごたえがよく赤、白、青（緑）の3色がある。元は同じ褐色をしている。

### もずく

ぬめりのもとは、注目のフコイダン。免疫力をアップさせ、抗腫瘍効果があるといわれている。

### 海ぶどう

沖縄県の特産で、プチプチした食感と海の香りがもち味。カロテン、ビタミン$B_2$も含まれている。

### 芽ひじき

「姫ひじき」「米ひじき」とも呼ばれ、ひじきの芽の部分をさす。やわらかく口当たりがいいのが特徴。

### 長ひじき

ミネラル類、カロテンが多く栄養たっぷり。「茎ひじき」とも呼ばれ、ひじきの茎の部分を長ひじきという。

## 栽培分布図

こんぶは北海道、わかめが三陸（岩手、宮城）、のり、ひじきが瀬戸内海、もずく、海ぶどうが沖縄など。

## おいしいカレンダー

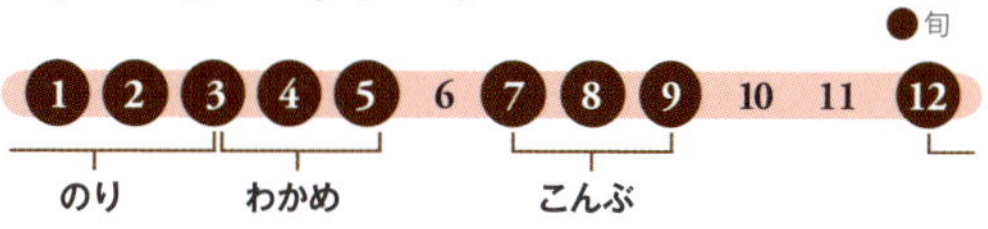

# お茶

tea

## カテキンが免疫力を高める

中国では紀元前からお茶を飲んでいたといわれ、遣唐使の留学僧によって日本に伝えられたとされています。その後、日本独自の茶文化が生まれ、江戸時代には庶民まで茶を飲む習慣が広がりました。

昔からお茶は体によいものといわれてきましたが、緑茶には、カロテン、ビタミンC、Eなどのビタミン類と渋み成分のタンニン、苦み成分のカフェイン、うまみ成分のテアニンが豊富に含まれています。タンニンは、ポリフェノールの一種、カテキン類を多く含み、抗酸化作用、抗菌、血中コレステロールの低下、ガンの予防などに効果があるといわれています。

緑茶は蒸して発酵を防ぎますが、発酵させて作るのが烏《ウー》龍《ロン》茶や紅茶です。

### Data

**注目の栄養成分**
ビタミンC、E、カロテン、タンニン、カフェイン、テアニン

**おいしい時期**
一番茶：5月初旬
二番茶：6月下旬
三番茶：8月上旬

**保存**
密閉性、遮光性のある容器に入れ、冷暗所に。少量ずつ購入し、1か月以内に使いきるように

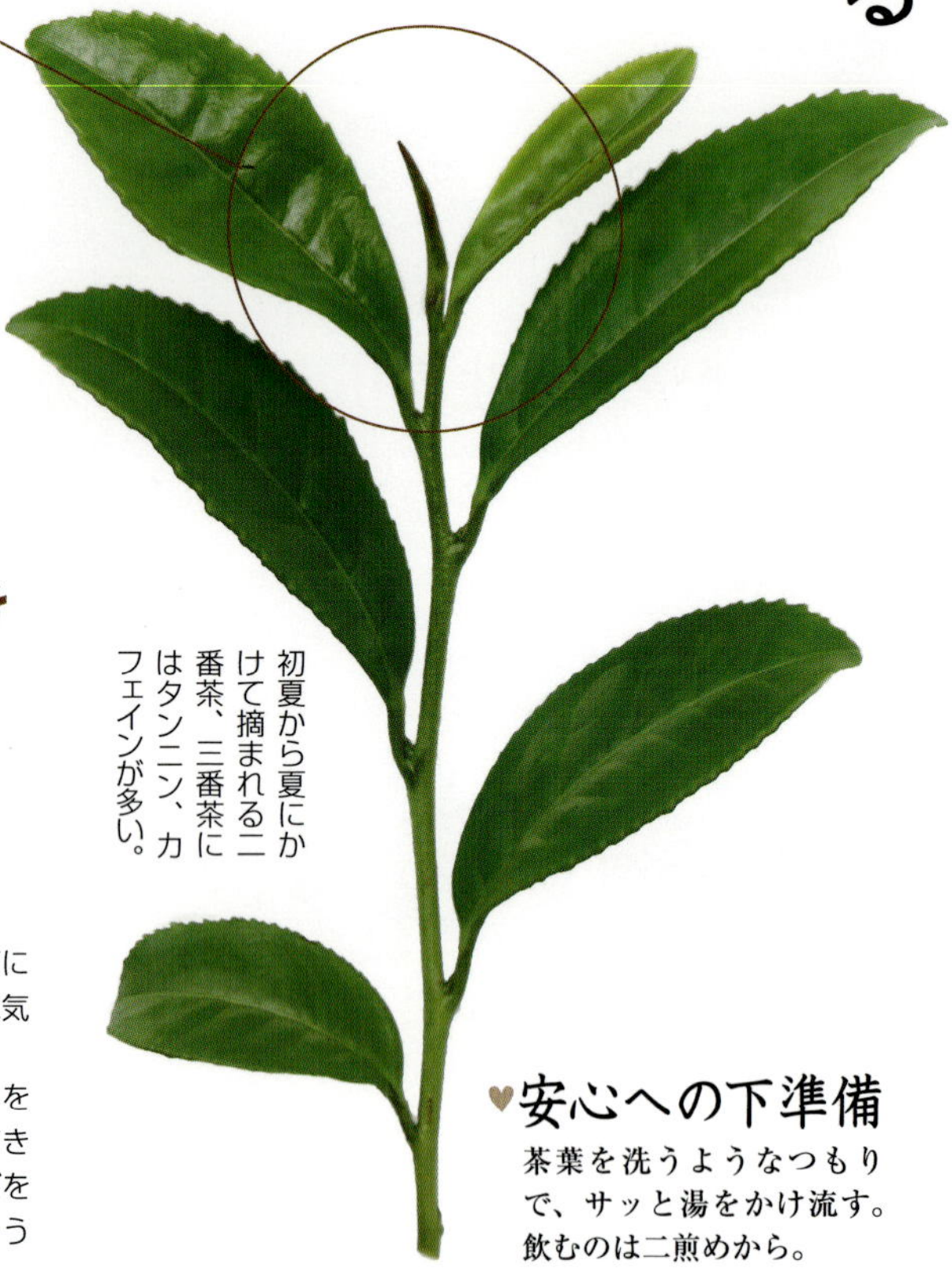

5月に出る新芽のみを摘んで作る一番茶を「新茶」と呼ぶ。まだ開いていない新芽と開いた若葉2枚をつけたものは「一心二葉」という。

初夏から夏にかけて摘まれる二番茶、三番茶にはタンニン、カフェインが多い。

### 安心への下準備

茶葉を洗うようなつもりで、サッと湯をかけ流す。飲むのは二煎めから。

### 食べるお茶

お茶の栄養を無駄なく摂るには、食べるのがいちばん。無農薬栽培のものが市販されているので、料理やお菓子作りなどに利用してみては。

料理

### お茶がらのふりかけ

**材料**
お茶がら…適量
ちりめんじゃこ…適量
干しエビ…適量
酒、しょう油…少々

**作り方**
1. お茶がらをしぼって電子レンジに入れ、1～2分ほど加熱し、水気をとばす。
2. テフロン加工のフライパンに**1**を入れて空いりし、パラリとしてきたらちりめんじゃこ、干しエビを加えて、さらに炒め、酒、しょう油少々を加えて味を調える。

### 栽培分布図

1位の静岡が全体の約40％、2位の鹿児島が約20％。

### おいしいカレンダー

●旬

1 2 3 **4** **5** **6** **7** **8** **9** **10** 11 12

4・5：新茶
6：二番茶
7・8：三番茶
9・10：四番茶
10：玉露
三番茶・四番茶：番茶

おいしいコツ

## おいしいお茶のいれ方

日本茶のおいしさのポイントは色、香り、うまみ。茶葉の種類によって適温やいれ方が異なるので、それぞれの種類に合わせた湯の量や温度、抽出時間を把握しよう。

1 水は軟水を使う。水道水の場合は沸騰してからやかんのふたを開けたまま2～3分煮立たせると、カルキ臭がなくなる。

2 玉露は50℃、上煎茶は70℃、煎茶、芽茶は90℃、ほうじ茶、番茶は熱湯で。熱湯以外は人数分の湯のみに湯を入れてから急須に注ぐとよい。

3 急須から湯のみに注ぐときは、濃さが均等になるようにし、最後の1滴まで残さないよう注ぐ。

**〈おいしいお湯の温度〉**

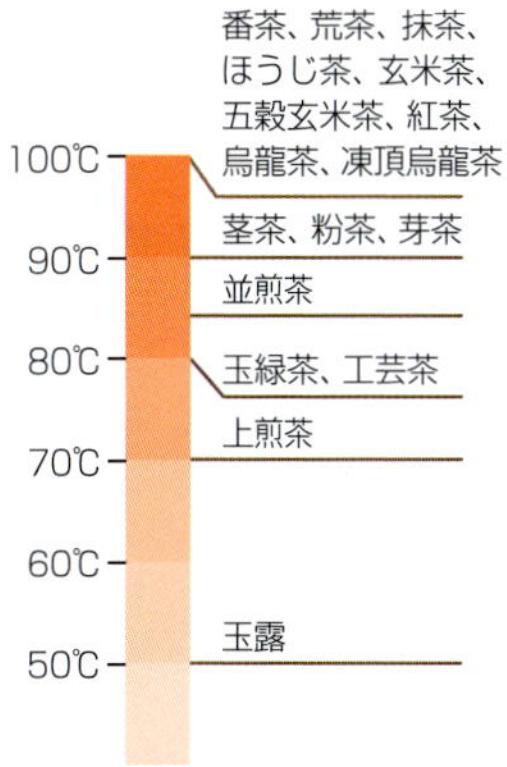
番茶、荒茶、抹茶、ほうじ茶、玄米茶、五穀玄米茶、紅茶、烏龍茶、凍頂烏龍茶
100℃
茎茶、粉茶、芽茶
90℃
並煎茶
80℃
玉緑茶、工芸茶
上煎茶
70℃
60℃
玉露
50℃

品種群

### 茎茶

茎の部分を集めたお茶で棒茶ともいう。すっきりとした味わい。

### 玉露

茶葉に覆いをかけて育てる最高級品。甘くてまろやかな味わい。

### 番茶

煎茶の製造過程で出るかたい茎や葉、三番茶、四番茶で作るお茶。

### 煎茶《せんちゃ》

もっとも多く飲まれる緑茶。摘んだ茶葉をすぐ蒸し、もんで作る。

### 抹茶

若芽を蒸して乾燥させた碾茶を、うすで粉状に細かくひいたもの。

### 荒茶

茎や粉が混じった整茶前のお茶。水分が多く、みずみずしい香り。

### 粉茶

煎茶の製造過程で出たお茶。苦みがあり、口の中がさっぱりする。

### 玉緑茶

形を整えないため丸まったお茶。渋みがなく、まろやかな味わい。

### 五穀玄米茶

茶葉と黒米、はと麦、きび、大麦、玄米などをブレンドしたお茶。

### 玄米茶

煎茶や番茶にいった玄米を混ぜたお茶。香ばしい香りと味わい。

### 芽茶

茶葉の芽の先の丸まった部分を集めたお茶。濃厚で香りが強い。

### ほうじ茶

番茶や煎茶をいって作る香ばしいお茶。カフェイン含有量が少ない。

### 凍頂烏龍茶《とうちょううーろんちゃ》

台湾の烏龍茶を代表する品種。茶葉を丸めてあるのが特徴。

### 烏龍茶

半発酵茶は青茶といい、その代表的なものが、この烏龍茶。

### 工芸茶

束ねてある茶葉に湯を注ぐと花のように開く。中国紅茶とも。

### 紅茶

完全発酵。タンニン、カフェイン含有量はいちばん多い。

# 山菜

sansai

山菜

## 季節を告げる野生の植物

山野に自生する植物で食用にされるものを山菜と呼びます。その多くが早春から初夏にかけて採取されます。人工的に栽培される野菜と大きく違うのは、山菜は限られた場所で限られた季節にしか採れず、その収穫量もごくわずかという点でしょう。

山菜の若い芽の部分は、これから伸長していくための養分がぎっしりつまっている大切な生長点。これを外敵から守るために備えたものが、山菜特有の強い苦みやえぐみ、すなわちアクです。食べる際には、ていねいな下処理を必要とするものがほとんどです。

栄養価が高いものもありますが、摂取量が少ないので、効能を期待するほどではありません。また、保存がきかないので、手に入れたその日のうちに消費しましょう。

技術開発のおかげで、今では管理栽培された山菜も多くなっています。

### 山うど（山独活）

**おいしい時期**：3月（栽培品は周年流通）

**注目の栄養成分**：カリウム

自生ものを山うど、軟化栽培したものをうどと呼ぶ。香りと歯触り、身の白い色を楽しむ。酢みそ和え、酢の物、サラダなど。

### ふきのとう（蕗の薹）

**おいしい時期**：2月～3月

**注目の栄養成分**：カリウム、リン、鉄、食物繊維

ふきよりも栄養価が高く、ミネラルや食物繊維が豊富。香りと苦みを賞味する。天ぷら、佃煮、和え物に。

### たらのめ（楤の芽）

**おいしい時期**：3月～4月

**注目の栄養成分**：たんぱく質、ミネラル、ビタミンE、食物繊維

山菜の王様ともいわれる。うどに似た香りとほろ苦さがある。アクが少なく、おひたしや和え物、天ぷら、田楽に。

### うるい

**おいしい時期**：5月～7月

**注目の栄養成分**：ビタミンC

オオバギボウシの若い芽をさす。アクはなく、ほろ苦さとぬめりが特徴。みそ汁の具、おひたし、酢の物に。

### ぜんまい（薇）

**おいしい時期**：3月～5月

**注目の栄養成分**：カロテン、カリウム、葉酸、食物繊維

ポピュラーな山菜のひとつ。アクが強く、重曹で下処理をしてから煮物、白和えなどに。乾燥させて保存食にも。

### 行者にんにく

**おいしい時期**：4月～5月

**注目の栄養成分**：カリウム、カロテン

にんにく同様に強壮作用をもつ辛みがある。アクは少ないのでそのままでもゆでても。ぬた、酢の物、天ぷらに。

### ふき（蕗）

**おいしい時期**：4月～6月

**注目の栄養成分**：カリウム

長い茎の歯ざわりとほろ苦みを賞味。板ずりをしてからゆで、水にさらし、皮をむいてから煮物に。葉は佃煮に。

# しいたけ
椎茸
Japanese mushroom, shiitake

## 自然栽培では春子と秋子

本格的に食用にされたのは室町時代、栽培が始まったのは江戸時代といわれています。

ビタミンB群が多く、豊富に含まれるエルゴステロールは日にあたると、骨の形成に欠かせないビタミンDに変化します。また、血中コレステロールを低下させるエリタデニン、免疫細胞を活性化させるといわれるβ-グルカンの一種レンチナンが含まれています。

うまみ成分であるグアニル酸は、加熱すると増加し、香りとうまみがアップします。

しいたけの旬は春と秋。冬を越した春のしいたけは春子と呼ばれ、身が締まってうまみがあります。秋子は香りがいいのが特徴です。

裏のひだがきれいで白く、変色や傷のないものが新鮮

かさが開きすぎず、白くて厚みがあるものがよい

干ししいたけ

収穫する季節によって、かさの開き具合や厚みに違いがある

全体的によく乾いていて軸が太く、短いものがよい

### Data

**注目の栄養成分**
ビタミン $B_1$、$B_2$、$B_6$、エルゴステロール、レンチナン

**エネルギー**
菌床栽培：
25kcal／100g

**おいしい時期**
3月～5月、9月～11月

**保存**
ひだを上にして密閉容器に入れ、冷蔵庫へ。保存性が低いので早めに使い切るか干す

### 干すとアップするしいたけの栄養価

生しいたけに含まれているエルゴステロールは紫外線にあたるとビタミンDに変化する。カルシウムといっしょに摂ると骨粗鬆症を予防する効果がある。食べる前に1～2時間干すだけでも有効。また、干すことで香り成分レンチオニンが生じる。

### 洗ってはいけない

水で洗うと風味が落ちるので、汚れは軽く払って落とすか、しめらせたキッチンペーパーでふき取るように。

かたい石づきの部分は取るが、軸はコリコリと食感がよいので、料理方法を工夫して利用しよう。

料理

### きのこの中華風マリネ

**材料**
好みのきのこ…適量
にんにく…少々
黒酢、油…適量

**作り方**
1. 好みのきのこは食べやすい大きさにしておく。
2. フライパンに油をひき、にんにくの香りを移したら、きのこを入れて炒める。
3. 火が通ったら黒酢を回しかけて、火を止める。

# まいたけ

舞茸

hen of the woods, maitake

## 歯ごたえと風味を活かす

「見つけると舞うほどうれしい」というのが名の由来といわれるまいたけ。70年代から栽培が始まり、周年流通するようになりました。

歯ごたえと独特の香り、うまみで人気のきのこですが、栄養価にもすぐれ、ビタミン$B_1$、$B_2$、ナイアシン、ビタミンDの前駆体エルゴステロールなどのビタミン類とミネラルを含みます。また、抗腫瘍効果、免疫力のアップなどに効果があるといわれるβ-グルカンを豊富に含んでいます。

### あっさりでもこってりでも

秋田名物きりたんぽをはじめ、鍋物、吸い物、みそ汁、炊き込みご飯、天ぷらなどで、まいたけのうまみをじっくり味わえる。また、肉や卵といっしょに中華風に炒めるなどして、歯ごたえを楽しむのも。

肉厚で密集していて、さわるとパリッと折れるようなものが新鮮

**Data**

**注目の栄養成分**

ビタミン$B_1$、$B_2$、ナイアシン、エルゴステロール、カリウム、鉄、亜鉛、β-グルカン

**エネルギー**

22kcal／100g

**おいしい時期**

10月～11月

**保存**

パックのまま冷蔵庫で保存

# えのきたけ

榎茸

enoki mushroom

## 栄養とうまみがぎっしり

流通しているのは軟白栽培した白くて細いものがほとんどで、野生種は茶褐色です。

カロリーはほとんどありませんが、ビタミン$B_1$、$B_2$、ナイアシン、カリウム、マグネシウム、鉄、亜鉛などが含まれ、ミネラル類の含有量は、しいたけ以上です。また、抗ガン作用が期待されるβ-グルカンの一種、レンチナンが、ほかのきのこより多く含まれています。

加熱しすぎると歯ごたえも風味も損なわれるので、火を通しすぎないよう注意を。

全体的に白っぽくてハリがあり、みずみずしいものがよい

### 調理は手早く

クセがないのでどんな素材と合わせても OK。えのきたけを加えることで、食物繊維やビタミンB群が増える。

**手軽な一品「えのきたけの昆布煮」**

水に塩こんぶと酒を入れてうまみを煮出し、えのきたけを加えてサッと煮る。

**Data**

**注目の栄養成分**

ビタミン$B_1$、$B_2$、ナイアシン、カリウム、マグネシウム、鉄、亜鉛、レンチナン

**エネルギー**

34kcal／100g

**おいしい時期**

天然：11月～3月

**保存**

真空パックのものは冷蔵庫で1週間程度

# なめこ
## 滑子
nameko

### 独特のぬめりと歯ごたえが特徴

つるりとしたのどごしと歯ざわりが人気のなめこ。野生種はブナ林に自生するきのこで、全体がぬめりで覆われています。えのきたけと同様、おがくずなどを使って栽培され、一年じゅう流通しています。

水分が約92％と多く、カルシウム、鉄、銅、マグネシウムなどを含んでいます。

また、なめこ特有のぬめりの成分は、ペクチンなどの食物繊維。腸内の善玉菌を増やして腸内環境を整える、といった効果があります。

**Data**

**注目の栄養成分**
カルシウム、鉄、銅、マグネシウム、ビタミン$B_1$、$B_2$、葉酸
**エネルギー**
21kcal／100g
**おいしい時期**
天然：9月～11月
**保存**
傷みやすいので早めに食べる

かさが開いていないもの。水煮なら水分がにごっていないものを選ぶ

#### おいしい下ごしらえ

生のものはザルに入れ、ゴミや汚れをサッと洗い流す。みそ汁に入れる場合はそのまま、和え物に使う場合はゆでてから。

**手軽な一品**
**「なめこのおろし和え」**
軽く水気を切った大根おろしとなめこを合わせ、ポン酢で和える。

# しめじ
## 湿地
shimeji

### おいしいきのこの代表格

ほんしめじ、しめじの名で流通しているのは、本来のしめじとは別種で、ぶなしめじやひらたけのこと。天然しめじはまだ人工栽培に成功しておらず、珍重されるきのこのひとつです。

ぶなしめじはビタミン$B_2$、ナイアシン、パントテン酸などを含みます。食物繊維が豊富なので、便秘の解消やコレステロール値の低下などに効果的。

また、うまみ成分のアミノ酸も多く、煮物、炊き込みご飯、汁物、天ぷら、炒め物など、和洋中と幅広く利用できます。

**Data**

**注目の栄養成分**
ビタミン$B_2$、ナイアシン、パントテン酸、食物繊維、アミノ酸
**エネルギー**
ぶなしめじ：22kcal／100g
**おいしい時期**
9月～10月
**保存**
パックのまま、もしくは密閉容器に入れ、冷蔵庫で保存

かさが小ぶりで開きすぎず、ハリと弾力があるものが新鮮

#### しめじあんの作り方

だし汁、しょう油、みりんを同量ずつ入れて煮立て、ぶなしめじを加える。火が通ったら水溶きかたくり粉でとろみをつけるだけ。このあんを湯豆腐やゆで野菜にかけて食す。

# まつたけ
松茸
matsutake mushroom

## 香りが命。きのこの王様

特有の芳香と歯ごたえで「日本の秋の味覚」を代表するまつたけ。アカマツやクロマツ、コメツガなどの林に自生し、人工栽培できないので、流通するのは天然物だけです。国産は年々減り、現在は韓国、中国などからの輸入物が増えています。

ビタミン$B_2$、エルゴステロール、ナイアシン、カリウムが多く、抗腫瘍作用があるといわれるβ-グルカンも豊富に含んでいます。

香りが命なので、洗わずにぬれぶきんでふきましょう。

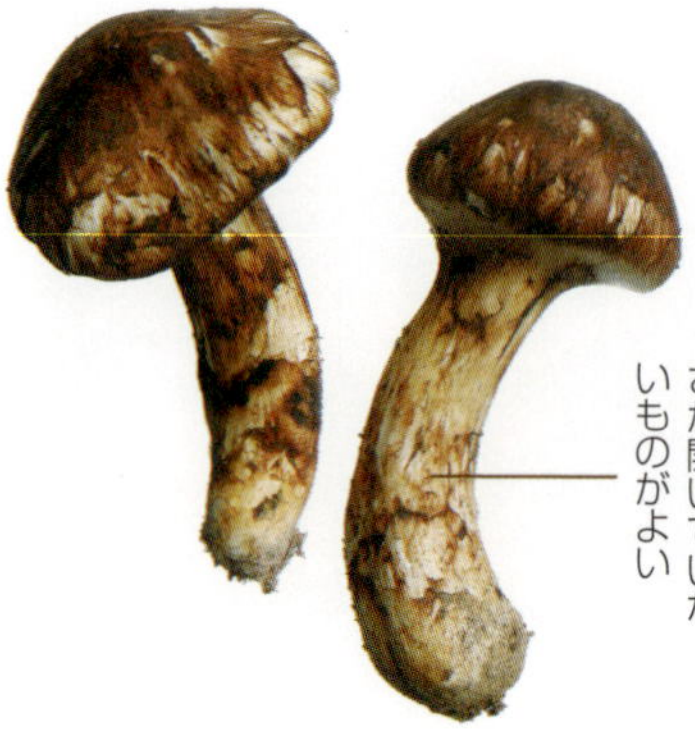

軸が太くしっかりしていて、かさが開いていないものがよい

**Data**

**注目の栄養成分**
ビタミン$B_2$、エルゴステロール、ナイアシン、カリウム、β-グルカン、食物繊維、マツタケオール

**エネルギー**
32kcal／100g

**おいしい時期**
10月～11月

**保存**
風味が落ちるので、すぐに食べる

かさが開いたまつたけは炊き込みご飯で

### まつたけご飯の作り方

まつたけは薄切りにし、酒としょう油をふりかけておく。米は炊く30分前に研いでおく。こんぶと、味がなじんだまつたけ、きざんで油抜きをした揚げを入れて水加減をし、塩としょう油で味を調えてから炊き上げる。

# マッシュルーム
mushroom

## クセがなく世界じゅうで人気

日本名は「つくりたけ」。白色種のホワイトマッシュルームと茶色種のブラウンマッシュルームがあります。コロンとした姿が愛らしく、クセのない味わいが人気。日本はもちろんアメリカ、ヨーロッパ、アジアなど多くの地域で栽培され、世界一の生産量を誇るきのこです。

ビタミン$B_2$が比較的多く、$B_1$、ナイアシン、たんぱく質、カリウム、食物繊維などを含んでいます。うまみ成分のグルタミン酸が多いので、味わいがよいのが特徴です。

表面に傷などがなく、かさがすべすべしてよく締まっているものがいい

**Data**

**注目の栄養成分**
ビタミン$B_1$、$B_2$、ナイアシン、たんぱく質、カリウム、食物繊維

**エネルギー**
15kcal／100g

**おいしい時期**
4月～6月、9月～11月

**保存**
傷みやすいので、早めに食べる

料理

### マッシュルームのカクテル

**材料**
マッシュルーム…1パック
レモン…½個
エキストラバージンオリーブ油…適量
塩、こしょう…少々

**作り方**
1. マッシュルームは汚れをふき取り、半分に切る。
2. オリーブ油、レモン汁、塩、こしょうを合わせてドレッシングを作り、マッシュルームを2時間ほど浸け込む。
3. 皿に盛り、くし形に切ったレモンを添える。

# ドレッシング

## 手作りでもっと生野菜

ドレッシングとは、酢、サラダ油、香辛料などを混ぜ合わせたソースのこと。サラダには欠かせない存在です。

サラダを食す習慣は、狩猟主体の民族だった古代ヨーロッパ人たちが、野や山に自生するハーブを薬として食べたことから始まったといわれています。

肉と生野菜の関係は、栄養学的にみると、肉は酸性、生野菜のサラダはアルカリ性。酸性の肉料理とアルカリ性のサラダを摂ることでバランスが取れるのです。

サラダは、ドレッシングの材料である植物油や醸造酢が健康に役立つことも含めて、低カロリーでビタミンやミネラルを多く含んでいる美容食です。

## 簡単レシピ

### おろしドレッシング

**材料**

にんじん…⅓本
たまねぎ…⅕個
酢…大さじ３
サラダ油…小さじ２
塩、黒こしょう…少々
パセリ…適量

**作り方**

1. にんじんとたまねぎをすりおろす。
2. すべての材料をよく混ぜ合わせる。

### 大豆ドレッシング

**材料**

大豆の水煮…60g
白ワインビネガー…大さじ２
オリーブ油…大さじ２
レモン汁…小さじ２
塩、こしょう…少々

**作り方**

1. 大豆の水煮を裏ごしする。
2. すべての材料をよく混ぜ合わせる。

### 和風しょうがドレッシング

**材料**

しょう油…70cc
ごま油…大さじ１
サラダ油…大さじ１
みりん…大さじ１
酢…大さじ１
ごま…適量
しょうが…適量
にんにく…適量
塩、こしょう…少々

**作り方**

1. にんにくとしょうがをすりおろす。
2. すべての材料をよく混ぜ合わせる。

### 黒酢ドレッシング

**材料**

黒酢…大さじ４
みりん…大さじ２
しょう油…大さじ１
梅干し…１個
たまねぎ…適量
塩、こしょう、砂糖…少々

**作り方**

1. たまねぎ、梅干しをみじん切りにする。
2. すべての材料をよく混ぜ合わせる。

### レモンドレッシング

**材料**

レモン汁…50cc
オリーブ油…50cc
たまねぎ…適量
酢…大さじ１
にんにく…½片
砂糖…小さじ½
塩…少々

**作り方**

1. たまねぎ、にんにくをすりおろす。
2. すべての材料をよく混ぜ合わせる。

### シーザーサラダドレッシング

**材料**

アンチョビ…２枚
パルメザンチーズ…大さじ２
マヨネーズ…大さじ２
オリーブ油…大さじ１
酢、牛乳…各大さじ１
にんにく…½片
こしょう…少々

**作り方**

1. アンチョビをみじん切りにする。
2. にんにくをすりおろす。
3. すべての材料を混ぜ合わせる。

## コブ ドレッシング

**材料**
マヨネーズ…大さじ4
ヨーグルト…大さじ1
ケチャップ…大さじ1½
レモン汁…小さじ1
はちみつ…小さじ1弱
たまねぎ…適量
塩、こしょう…少々
すりおろしにんにく…適量

**作り方**
1. たまねぎをみじん切りにする。
2. すべての材料をよく混ぜ合わせる。

## ポン酢 ドレッシング

**材料**
ポン酢…100cc
すりごま…適量
ごま油…小さじ1

**作り方**
すべての材料をよく混ぜ合わせる。

## サウザン アイランド

**材料**
マヨネーズ…80cc
ケチャップ…小さじ2
ウスターソース
…小さじ1
しょう油…小さじ½
らっきょう…20g
乾燥パセリ…適量

**作り方**
1. らっきょうをみじん切りにする。
2. すべての材料をよく混ぜ合わせる。

## バルサミコ ドレッシング

**材料**
バルサミコ酢…80cc
ポン酢…30cc
ごま…適量
塩、こしょう…少々

**作り方**
すべての材料をよく混ぜ合わせる。

## ハニーマスタード ドレッシング

**材料**
りんご酢…70cc
はちみつ…大さじ2
粒マスタード…小さじ1
黒こしょう…少々

**作り方**
すべての材料をよく混ぜ合わせる。

## スパイシー ドレッシング

**材料**
ヨーグルト…100g
カレーパウダー…小さじ2
シナモン…1ふり
塩…小さじ½
レモン汁…小さじ2
砂糖…少々

**作り方**
すべての材料をよく混ぜ合わせる。

## ＮＹ《ニューヨーク》風クリーミー ドレッシング

**材料**
サラダ油…60cc
マヨネーズ…大さじ2
白ワインビネガー
…大さじ1
砂糖…小さじ½
塩…小さじ¼
こしょう…少々
乾燥パセリ…適量

**作り方**
すべての材料をよく混ぜ合わせる。

## 青じそオイル

**材料**
青じそ…20枚
オリーブ油…100cc
塩…小さじ½

**作り方**
1. 青じそをみじん切りにする。
2. すべての材料をよく混ぜ合わせる。

## ゆずこしょう ドレッシング

**材料**
しょう油…50cc
酢…50cc
大根…適量
ゆずこしょう…適量

**作り方**
1. 大根をおろす。
2. すべての材料をよく混ぜ合わせる。

# 果物を食べる

いちごやメロン、すいかは
園芸学上は果実的野菜に
分類されていますが、
ここでは
りんごやかきなどと同様に
果物としてまとめました。

# 日本の食卓を彩る輸入果実

## ―市場までの流れと安全性について―

飽食の時代と呼ばれるようになっても
目の前にすると
心楽しくなるのが季節の果物。
昔からおなじみのものに加え
色も香りも味もさまざまな
異国の果物も増えてきました。
そこで諸外国で生産されたものが
日本の市場に並ぶまでの流れと
安全性について調べてみました。

昭和40年に73%だった日本の食料自給率は年々下がり続け、ついに平成18年に40%を割りました。日本人は、じつに60%以上の食料を諸外国からの輸入に頼っていることになります。

果物ももちろん例外ではありません。スーパーや青果店には、国産の果物と競い合うかのように色とりどりの輸入ものが並び、私たちの毎日の食卓を彩っています。

日本が輸入している果物のシェアは、トップのバナナが約60%を占め、これにオレンジ、グレープフルーツ、パイナップルを加えた4品目で約85%になります。残りの約15%は、レモン、キウイ、メロン、チェリー、ぶどう、アボカドなどおなじみの果物に加え、マンゴー、パパイヤ、パッションフルーツ、ライチ、マンゴスチンなど、近年人気の出てきた新顔が占めています。これら生鮮果物に、乾燥、冷凍果実などを合わせた総輸入量は、1年で約２００万トン前後にもなります。

## 輸入果物の安全性について

一方で、輸入果物は危険な農薬や防カビ剤などが残留しているというイメージや、偏った情報などから、不安や疑問を抱く人が多いのも事実です。

では実際、輸入果物にはどのようなリスクがあり、どのような対策が取られているのでしょうか。

輸入果物の安全性を脅かす要因は、大きく分けて2つ。「細菌、ウイルスなどの微生物」と「残留農薬や食品添加物などの化学物質」です。

果物に限らず、日本に輸入される植物はすべて、通関前に農林水産省が管轄する植物防疫所で、植物防疫法に基づく検査を受けなければなりません。国内に存在することが確認されていない有害な病害虫、また日本の農業生産上、重大な被害を及ぼす病害虫などが発見された場合は消毒、廃棄（焼却、積み戻し）のいずれかの措置が取られます。ここで合格した植物は、さらに厚生労働省が食品衛生法に適合しているかをチェックします。

食品衛生法では、残留農薬基準、食品添加物（防カビ剤等を含む）の使用基準などが定められています。残留農薬基準は、食品から摂取する農薬が一日摂取許容量（人が生涯にわたって、毎日摂取し続けても健康に何ら悪影響を及ぼさないとみなされる量）の80%以内となるように定められています。

また、平成15年の食品衛生法改正に基づき、食品中に残留する農薬、飼料添加物及び動物用医薬品について、一定の量を超えて残留する食品の販売などを原則禁止するというポジティブリスト制度が施行されました。

以前のネガティブリスト制度では、輸入食品などに多い残留基準が設定されていない農薬などが食品から検出されても、販売などを禁止することができませんでした。しか

イスラエル
● グレープフルーツ
中国
● レイシ（ライチ）
台湾
● マンゴー
● バナナ
● レイシ（ライチ）
タイ
● マンゴー
● ドリアン
フィリピン
● バナナ
● パイナップル
● マンゴー
● パパイヤ
南アフリカ
● グレープフルーツ
● オレンジ
マレー半島
● マンゴスチン
オーストラリア
● マンゴー
ニュージーランド
● キウイ
● パッションフルーツ
アメリカ
● オレンジ
● レモン
● グレープフルーツ
● ぶどう
● チェリー
● メロン
メキシコ
● アボカド
● マンゴー
● メロン
● パッションフルーツ
エクアドル
● バナナ
チリ
● レモン
● ぶどう
● キウイ
● オレンジ
〈おもな果物輸出国〉

し、ポジティブリスト制度では原則、すべての農薬などについて残留基準（一律基準を含む）を設定し、基準を超えて食品中に残留する場合、販売などを禁止することができるようになりました。

## 洗わない状態で厳しくチェック

バナナやかんきつ類には、カビの発生を防ぐために防カビ剤が食品添加物として使用されることがあります。使用が認められているおもな防カビ剤は、オルトフェニルフェノール（OPP）、及びそのナトリウム塩（OPP-Na）、チアベンダゾール（TBZ）、イマザリルです。これらはいずれも一日の摂取許容量を大幅に下回るよう使用基準が定められています。また、かんきつ類及びバナナについては、防カビ剤を使用した場合は容器包装に表示が義務づけられているので、表示のないものは使用されていないことを意味します。気になる方はぜひチェックしてみてください。

オレンジやグレープフルーツなど、かんきつ類を皮ごとジャムなどにする場合、果皮に残留する農薬や防カビ剤が不安、という声もよく聞かれます。しかし食品衛生法では、果皮も含めた、洗わない丸ごとの状態で残留基準を設定し、厳しくチェックしています。流通している果物に残留農薬や防カビ剤が検出されることはほとんどなく、果皮を食べても健康に悪影響が出ることはまず考えられません。

〈果実の輸入量の推移〉

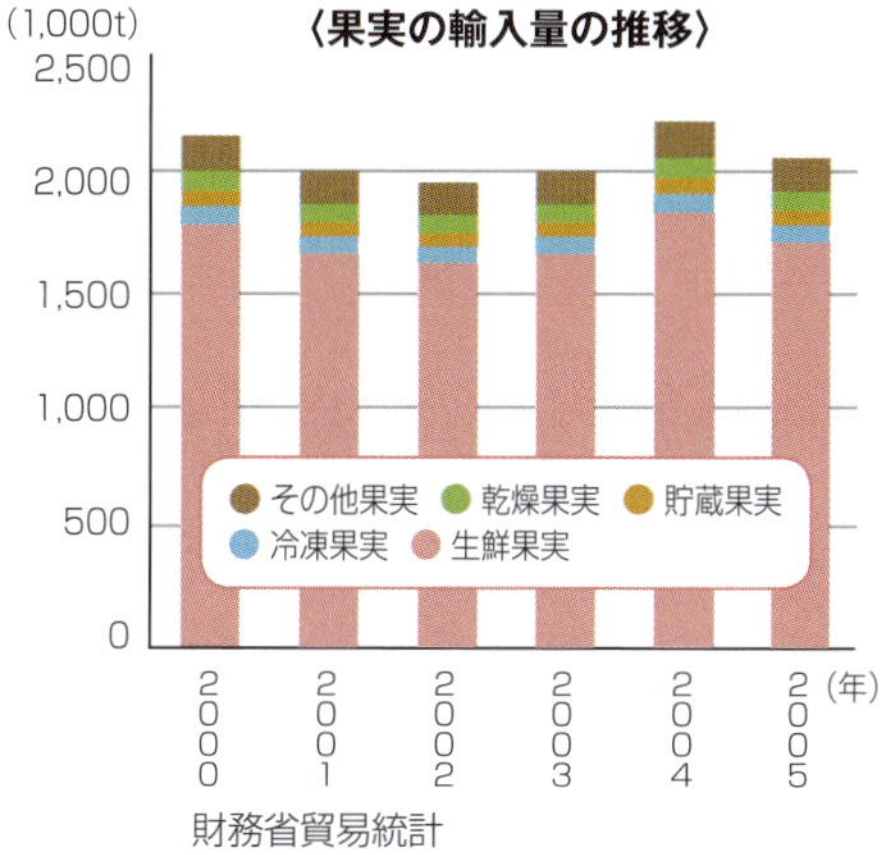
(1,000t)
2,500
2,000
1,500
1,000
500
0
その他果実
乾燥果実
貯蔵果実
冷凍果実
生鮮果実
2000
2001
2002
2003
2004
2005
(年)
財務省貿易統計

取材協力
株式会社食品科学広報センター
(Food Science Information Center)
村田《むらた》綾子《あやこ》
広報誌、ホームページ、セミナー、書籍の発行などを通して、食の安全性や健康・栄養との関わり、食品についての最新の科学知識、食品の規格と表示などに関して、的確で有用な情報を提供している上記センターの広報を担当。
http://www.fsic.co.jp/

果物

# りんご

林檎

apple

## Data

**注目の栄養成分**

カリウム、カルシウム、鉄、食物繊維、ビタミンC、リンゴ酸、クエン酸

**エネルギー**

56kcal／100g

**おいしい時期**

9月～11月

**保存**

ビニール袋に入れて冷暗所に。長期保存する場合は冷蔵庫で

## 効能たっぷりな万能果物

人類が食した最古の果物がりんご。その起源はおよそ8000年前といわれています。日本での栽培は明治時代に始まり、戦後、接ぎ木技術の進歩にともなって、品種改良がさかんにおこなわれるようになりました。

カリウム、カルシウム、鉄、食物繊維、ビタミンC、有機酸などを含み、栄養価が高いので、欧米では昔から「一日一個のりんごは医者を遠ざける」といわれてきました。

高血圧予防、コレステロール降下、便秘改善、疲労回復、虫歯予防や発育促進と、多くの効能が知られ、ポリフェノールの一種、プロシアニンなどによる抗酸化作用や老化防止効果も期待されています。

「サンふじ」

「ふじ」

### 果皮のベタベタは？

品種によって皮がべとつくほど果粉が多いものがあるが、これは品種のもつ資質によるもの。熟すに従って分泌されるリノール酸やオレイン酸が表皮のろう物質をとかしている現象。「ジョナゴールド」などに見られる。

### 「ふじ」と「サンふじ」

11月上旬から春まで出回るふじは、「国光」と「ゴールデンデリシャス」をかけ合わせて作られた品種で、日本での生産量トップを誇る人気の品種。世界の品評会でグランプリを得たこともあり、いまや世界でもっとも愛されているりんごである。甘みと酸味のバランスがよく、ジューシーで香りが高い。そしてシャリシャリとした歯ごたえも特徴。果肉がよく締まっており、貯蔵性にもすぐれている。皮の色つやをよくするため、袋をかけて栽培されている。

それに対して、袋をかけず日光をあてて栽培したふじを「サンふじ」と呼ぶ。袋がけをしたふじと比べると、日にあたっているため表面はまだらだが、完熟して甘さが増し、中央部分には蜜が入っている。出回る時期はやや遅れて、11月中旬からになる。

このように無袋栽培したものはふじ以外の品種にもあり、それらにはみな「サン○○」という名がつけられている。

## おいしいコツ

### 色がわりを防ぐ

切ると果肉のポリフェノールが酸化するため、茶色に変色する。しばらく食塩水かレモン水に浸けるとよい。

### ラップをして野菜室に

低温で湿度が高い状態にするのが長もちのコツ。ひとつずつラップに包み、冷蔵庫の野菜室で保存。

### りんごシャーベット

皮ごとすりおろしたりんごに砂糖とレモン汁を加えてよく混ぜ、平らな容器に入れて冷凍する。1時間たったらいったん取り出してかき混ぜ、再び冷凍庫へ。さらに1時間ほど冷やす。

### 安心への下準備

スポンジを使って表皮をしっかり水洗いする。皮をむき、塩水に浸けてから食べよう。

## 品種群

### 「アルプス乙女」

30gほどのミニりんご。ふじと紅玉が混植された園で偶然発見された品種。

### 「早生ふじ」

ふじの早生種。9月下旬から出回る。収穫期間はとても短い。

### 「ジョナゴールド」

ゴールデンデリシャス X 紅玉。甘みと酸味のバランスがよい。加熱調理にも。

### 「シナノゴールド」

ゴールデンデリシャス X 千秋。香りがありジューシー。貯蔵性が高い。

### 「秋映《あきばえ》」

千秋 X つがる。酸味があり、甘みとのバランスが絶妙。果肉はかため。

### 「紅玉」

アメリカ原産品種。酸味が強く、アップルパイやジャムなどの加熱調理向き。

### 「むつ」

ゴールデンデリシャス X 印度。500g以上の大型りんご。さっぱり系。

### 「王林」

ゴールデンデリシャス X 印度。なしに近い食感。香り高く果汁も多いが酸味は少なめ。

### 「スターキング」

香りがよく、甘みもあるが、低温で管理しないと味がボケやすい。

加熱用リンゴ

### 「ブラムリー」

イギリス生まれの調理専用種。酸味が強く加熱すると煮とける。国内では小布施のみで栽培。

### 「世界一」

デリシャス X ゴールデンデリシャス。1kgにもなる大型種。きめ細かい。

## 栽培分布図

国内生産量のトップは青森で約半量。2位は長野で約2割を生産している。

## おいしいカレンダー

●旬

1　2　3　4　5　6　7　8　●9　●10　●11　12

**早生種**
秋映、ブラムリー

**中生種 上旬～**
世界一、ジョナゴールド、スターキング

**晩生種 下旬～**ふじ、むつ、シナノゴールド、王林、スターキング

果物

# バナナ

banana

## 抗酸化力はトップクラス

歴史は古く、紀元前から栽培が始まっていたといわれています。マレー半島が原産で世界の熱帯地域に広まっていきました。日本へは、明治時代に台湾から入ってきました。現在はフィリピン産のバナナが輸入量のおよそ90％を占めています。

バナナは食べてすぐエネルギーになり、それが長く持続するのが特徴です。カリウム、マグネシウムなどのミネラル類とビタミンB群は果物の中でも突出して多く、食物繊維も豊富。

また、抗酸化力は果物、野菜の中ではトップクラス。免疫力を高める効果も確認されています。

赤ちゃんからお年寄りまで、バナナは手軽に良質な栄養が摂れる果物です。

全体が黄色で傷がなく、つけ根がしっかりとしているもの

### Data

**注目の栄養成分**
ビタミン$B_1$、$B_2$、$B_6$、ナイアシン、葉酸、カリウム、マグネシウム、食物繊維

**エネルギー**
93kcal／100ｇ

**おいしい時期**
周年

**保存**
つるして保存するとよい

品種群

### モンキーバナナ

小型の生食用バナナで、別名セニョリータともいう。皮が薄く甘いのが特徴。

### 台湾バナナ

台湾産のバナナ。北蕉（ホクショウ）や仙人蕉という品種が中心で、ねっとりとした甘みと芳香がある。

### モラード

皮が赤紫から赤茶色の生食用バナナ。甘みはあっさりとしていて、やや酸味がある。

# バナナが食卓に届くまで

バナナは、一年じゅう暖かく、1か月に100～200㎜程度の降雨がある熱帯地域で育ちます。

種がないので、根元から出る新芽を使って苗を育て、畑に植えつけます。植えつけ半年で花が咲き、実がなります。防虫のため、すっぽりと袋がけして育てたバナナは、9か月ほどで青いまま収穫します。

洗浄、選別が終わったバナナは輸出検査を受けます。このときに病害虫がないかをチェックします。

そして保冷船で日本に運ばれ、日本で輸入検査がおこなわれます。そのときに植物防疫法に基づいた害虫の検査と、食品衛生法に基づいた残留農薬検査などがおこなわれます。この2つの検査に合格して、初めて輸入が許可されます。

## 輸入され日本で熟す

輸入されたバナナは、室《むろ》と呼ばれる場所で追熟され黄色くなります。室は温度・湿度が管理され、植物ホルモンのエチレンを与えられて、おいしく熟成します。そのあと、市場から食卓に届けられます。

熟してから輸入しないのは、害虫の侵入を防ぐためですが、じつは産地でも青いうちに収穫してから熟すのを待ちます。そのほうが甘みと香りがよいからです。

バナナは輸入果物なので、残留農薬が気になるところ。しかし日本へは厳しい検査を経て輸入されるので、健康への心配はありません。なお、収穫後に使われるポストハーベスト農薬は、現在ほとんど使用されていません。

バナナの木。実は下から上に向かって育つ。

## おいしいコツ

### つるして保存

バナナはぶつかった部分からすぐに傷むので、ホルダーなどにつるして保存するとよい。

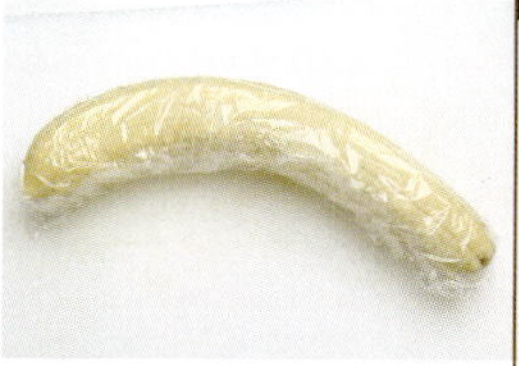

### 冷凍して保存

冷凍する場合は皮をむき、1本ずつラップで包んで冷凍庫に入れる。半解凍してジュースやジェラートに。

### シュガースポットは甘いしるし

バナナの表面に出る茶色のポツポツはシュガースポットといい、食べごろのサイン。甘く熟したしるし。

料理

### バナナスムージー

**材料**

バナナ…1本
牛乳…100cc

**作り方**

1. バナナの皮をむき、4つくらいに切ってラップに包んで凍らせる。
2. 凍ったバナナと牛乳をミキサーにかける。

バナナの木の写真・取材協力／日本バナナ輸入組合

## 栽培分布図

流通するバナナのほとんどは輸入。その90%近くはフィリピン産。

## おいしいカレンダー

1 2 3 4 5 6 7 8 9 10 11 12

周年

果物
citrus fruits

# かんきつ類

## ビタミンPで血管強化

かんきつ類の原産地はインドから東南アジアといわれ、世界じゅうに100種以上もあります。日本を代表するかんきつ類はみかん。温州みかんとも呼ばれ、中国渡来のかんきつ類から偶然生まれた、日本独自の品種です。

多く含まれているのは、ビタミンC。カロテンやクエン酸も豊富で、疲労回復や風邪の予防、回復に効果があり、美肌作りには欠かせない果物です。

捨ててしまうことも多い袋やすじには、ビタミンCの吸収率を高め、毛細血管を強くする効果のあるビタミンPが含まれています。また、みかんのオレンジ色の成分、β-クリプトキサンチンには、ガンを抑制する効果があるとして注目されています。

ヘタは黄色がかった緑色で、なるべく小さいものがよい
皮のオレンジ色が濃く、鮮やかでツヤのあるもの
皮が薄く、きめの細かいものがよく、フカフカと浮き上がっているものは新鮮でない

温州《うんしゅう》みかん

### 手作りマーマレードはいかが？

夏みかん、ゆずなどを使ってマーマレードを手作りしよう。砂糖は果物の重量の6割が目安。市販のものに比べるとかなり甘みを抑えてあるので香り高く、そのぶん保存性は低い。皮やわたを入れることでペクチンが働き、ほどよいとろみがつく。

### 乾燥みかんの皮

入浴剤として用いると風邪のひき始めに有効。すり鉢であたり、ふりかけにしても。

## 青みかん

青みかんとは温州みかんの未熟果で、7月後半に収穫される、直径2cmほどの小さなみかんです。

ポリフェノールの一種であるヘスペリジンという成分は、みかんの皮や袋、筋に多く含まれ、血管強化や抗アレルギー作用を発揮することが知られていますが、その含有量は未熟みかんのほうが圧倒的に多く、完熟するにつれてどんどん失われてしまうことがわかりました。

健康維持のため、みかん農家では昔から食されてきた青みかん。花粉症対策としても期待されています。

### 皮の精油成分

かんきつ類の皮に含まれるd-リモネンという精油成分には、脂肪分解作用があり、洗剤にも利用されている。

# 夏みかん

**Data**
**注目の栄養成分**：ビタミンC、$B_1$、葉酸、クエン酸、カリウム、食物繊維
**エネルギー**：42KCal／100g
**おいしい時期**：4月〜6月
**保存**：常温で保存

## クエン酸で疲労回復

春から夏にかけて旬を迎える夏みかん。江戸時代に山口県の海岸に漂着した果実の種をまいたのが最初だといわれています。生食されるようになったのは、明治以降。現在栽培されているのは、偶然生まれた酸味の少ない甘夏みかんが主流になっています。

夏みかんには、ビタミンC、$B_1$、クエン酸などが豊富です。皮にも栄養がたっぷり含まれているので、マーマレードなどにして皮ごと食べれば、美肌作りや疲労回復に効果的です。

# ネーブル

**Data**
**注目の栄養成分**：カロテン、ビタミンC、$B_1$、$B_2$、食物繊維
**エネルギー**：48KCal／100g
**おいしい時期**：12月〜4月
**保存**：冷蔵庫

## ジューシーな甘さが人気

おしりにへそのようなくぼみがあり、英語でへそを意味するネーブルという名前がついています。原産地はブラジルで、日本に入ってきたのは明治時代。香り高く、芳醇な味わいが特徴です。

ネーブルには、カロテン、ビタミンC、$B_1$、$B_2$などのビタミン類と食物繊維が多く、リン、鉄、ナトリウムなどのミネラル類もバランスよく含まれています。生活習慣病の予防やストレス解消、美肌作りなど多くの効用があります。

# レモン

**Data**
**注目の栄養成分**：ビタミンC、カリウム、カルシウム、食物繊維
**エネルギー**：43KCal／100g
**おいしい時期**：9月〜1月（国産）、周年（輸入）
**保存**：冷蔵庫

## ビタミンCはかんきつ類トップ

原産地はインド北部。日本へは明治時代に渡来し、現在は広島、愛媛、熊本などで栽培されています。

ビタミンCの含有量は1個に約100mgと、かんきつ系の中でもトップクラス。風邪予防や美肌作りに効果があります。また、豊富に含まれるクエン酸は、疲労回復に効果があります。

皮にツヤとハリがあり、切ると果汁がたっぷり出るものを

# ライム

**Data**
**注目の栄養成分**：ビタミンC、クエン酸、カリウム
**エネルギー**：39KCal／100g（果汁）
**おいしい時期**：周年
**保存**：ラップに包み冷蔵庫で保存

## さわやかな酸味が特徴

レモンより小ぶりで、皮が緑色をしています。メキシカンライムとタヒチライムがあり、日本ではメキシコ産のメキシカンライムが流通しています。

酸味はレモンよりやわらかで、さわやかな芳香と苦みがあり、ジュースやカクテル、エスニック料理などによく使われます。

ビタミンCはレモンの三分の一程度ですが、クエン酸やカリウムが多く含まれており、疲労回復や高血圧の予防などに効果があります。

# 「デコポン（不知火《しらぬい》）」

**Data**
**注目の栄養成分**：ビタミンC、B1、P、食物繊維
**エネルギー**：56KCal／100g
**おいしい時期**：2月～4月
**保存**：冷蔵庫で1～2週間

## やわらかく甘みが強い

てっぺんがポコンと盛り上がった独特の形からデコポンと呼ばれていますが、正式名称は不知火といいます。

清見とポンカンの交配種で、主産地は熊本。皮が手でむけるほどやわらかく、実は甘みが強くて袋ごと食べられるのが特徴です。

ビタミンCが多く含まれ、2個で成人1日ぶんの必要量を摂れます。

また、袋ごと食べれば、ビタミンB1、P、食物繊維もたっぷり摂れます。

# オロブランコ

**Data**
**注目の栄養成分**：ビタミンC
**エネルギー**：43KCal／100g
**おいしい時期**：11月～2月
**保存**：冷蔵庫

## 上品でさわやかな甘み

オロブランコとはスペイン語で白金を意味します。ポメロ（文旦）とグレープフルーツの交配種で、アメリカ・カリフォルニア生まれ。大きさはグレープフルーツほどで、皮が黄緑色をしています。上品でさわやかな甘みがあり、グレープフルーツよりも酸味、苦みは控えめ。おもな生産地はアメリカとイスラエルで、イスラエル産の商品名は「スウィーティ」といいます。

酸味や苦みが弱く、子どもにも食べやすいので、冬のビタミン補給にどうぞ。

# バレンシアオレンジ

**Data**
**注目の栄養成分**：ビタミンC、クエン酸、カリウム
**エネルギー**：42KCal／100g
**おいしい時期**：11月～5月
**保存**：ラップで包み、冷蔵庫で保存

## 豊かな果汁でジュースに

名前からスペイン原産と思われがちですが、じつは原産地ははっきりしていません。おもな生産地はアメリカで、もっとも人気のあるオレンジのひとつです。

香り、酸味、甘みのバランスがよく、果汁が豊富。ジュースの原料としてよく使われていますが、ジュースにしてもビタミンCが壊れにくいのが特徴です。ビタミンCを豊富に含み、クエン酸も多いので、風邪予防、美肌、疲労回復に効果があります。

# グレープフルーツ

**Data**
**注目の栄養成分**：ビタミンC、B2、カルシウム、クエン酸
**エネルギー**：40KCal／100g
**おいしい時期**：12月～4月
**保存**：長期保存は冷蔵庫で

## ほろ苦さと酸味がもち味

原産地は西インド。日本では、おもにアメリカ産と南アフリカ産が出回っています。

独特の芳香とほろ苦さ、酸味があり、サラダなどにもよく合います。ビタミンC、B1、カルシウム、クエン酸が豊富で、ルビー種にはリコピンやカロテンも含まれています。

# いちご
## 苺 strawberry

# 1日10粒で必要量のビタミンCが補給できる

　子どもや女性に人気のいちごは江戸時代にオランダ船によってもたらされた果物です。60年代までは、いちごの旬は5月～6月でしたが、高度成長や食文化の変化にともない、温室栽培がおこなわれるようになり、秋から翌年の初夏まで出回るようになりました。品種の改良も進んで、より甘くより大きいいちごが求められ、人気品種がどんどん交代しています。

　いちごにはビタミンC、葉酸、食物繊維がたっぷり。1日に10粒食べるだけで風邪予防になるともいわれています。

　ケーキやジャムなどの加工利用もさかんで国産品だけでは足りず、アメリカからの輸入量が年々増加しています。

ヘタの緑色が濃く、乾いていないもの
果実は、じつはつぶつぶの部分。赤い部分は花托（かたく）という、台のようなもの。
赤い色が鮮やかで、傷のないもの
つぶつぶがくっきりとしているもの

## Data

**注目の栄養成分**
ビタミンC、葉酸、食物繊維、カリウム、カルシウム

**エネルギー**
31kcal／100g

**おいしい時期**
ハウス：12月～4月
露地：5月～6月
輸入：6月～10月

**保存**
洗わずにラップで包んで、冷蔵庫の野菜室で

## おいしく食べるために

ヘタは、取ってから洗うとビタミンCが流出してしまうので、つけたまま洗うこと。
甘みが足りない場合は、ざく切りにしてから砂糖とレモン汁をかけ、しばらくおいて味をなじませると、おいしく食べられる。

## 安心への下準備

流水に5分ほど浸けてからふり洗いする。

### 品種群

**「あまおう」**
福岡産。「甘い・丸い・大きい・うまい」の頭文字から名づけられた。大粒で糖度が高く酸味もある。

**「とちおとめ」**
栃木産。東日本でいちばん流通している品種。甘みが強く日もちがよい。

**「アイベリー」**
愛知産。大粒で高級品種の代表格。糖度も酸度も高く、しかも芯まで赤い、バランスのとれたいちご。

果物

# さくらんぼ

## 桜桃

cherry

## 「赤いルビー」ともいわれる季節感たっぷり果実

初夏を告げる代表的な味覚さくらんぼ。正式には西洋実桜といいますが、桜桃《おうとう》の名前でも親しまれています。日本へは明治の初めに導入され、以来、山形でさかんに栽培されています。

栽培は手仕事が多く手間がかかるので、高値がつけられています。また日もちしないため、流通期間が短く、食べそびれてしまうことも。

現在、主流なのは「佐藤錦」という品種。国内生産量の7割近くを占めています。

微量ずつですが、各種ビタミン、ミネラル、リンゴ酸やクエン酸、ブドウ糖と果糖がバランスよく含まれているので、疲労回復、美肌作用、高血圧予防の効果も期待できます。

皮にツヤとハリのあるものを選ぶこと。傷の有無や色の鮮やかさもチェック

### アメリカンチェリー

アメリカ原産。5月～8月に出回る。大粒で皮は濃紅色。強い甘みをもつ。

### Data

**注目の栄養成分**
ビタミンC、鉄、カリウム、葉酸、ブドウ糖、クエン酸、ソルビトール

**エネルギー**
64kcal／100g

**おいしい時期**
5月～7月

**保存**
ビニール袋に入れ冷蔵庫の野菜室で1日。鮮度が落ちやすいので、早めに食べること

品種群

### 「佐藤錦」

**おいしい時期**：6月中～下旬
糖分が多く生食向き。果汁が多い。国内でもっとも生産量が多い品種。「赤いルビー」とも呼ばれている。

### 安心への下準備

収穫までに比較的、農薬散布を多くおこないます。残留物質が気になる場合は、ボールに水を静かに流し入れ、しばらく浸けおいたあと、水を替えて数回振り洗いをしましょう。

### 栽培分布図

山形が約70％、次いで青森、山梨などが主要産地。

### おいしいカレンダー

●旬

1 2 3 4 ●5 ●6 ●7 8 9 10 11 12

「佐藤錦」が生産量の7割を占め
次いで「ナポレオン」という品種が1割ほど。

# いちじく

## 無花果 fig

### 整腸作用がうれしい女性の味方

アラビア半島あたりが原産のいちじくは、聖書にもたびたび登場する、古くからの栽培果樹。アダムとイブが身につけていたのも、じつはいちじくの葉なのです。

春から初秋にかけて実の中に白い花をつけ、そのまま肥大するのですが、外側からは花が見えないため、無花果という字を当てられました。

いちじくには夏果と秋果があり、越冬した幼果が大きくなったものが夏果。春の新梢に着床した実が秋果といいます。

食物繊維のペクチンが豊富なので、整腸作用や美肌効果があります。また「フィシン」というたんぱく質分解酵素を含むので、食後のデザートにはもってこいです。

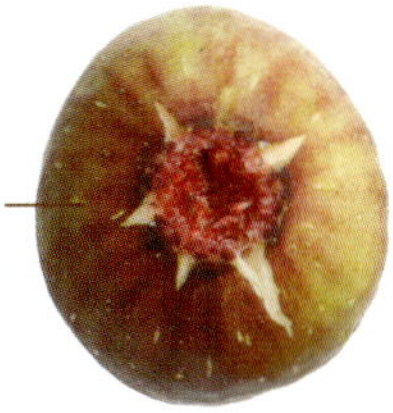
おしりが割れているものは避ける

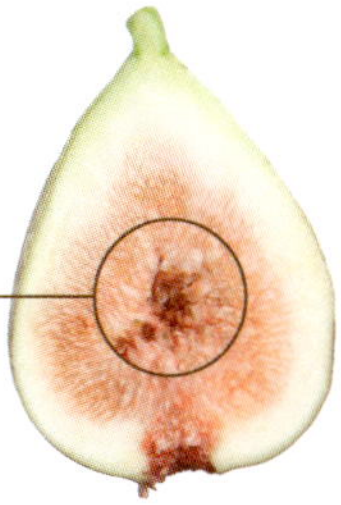
中のつぶつぶ部分がいちじくの花

ふっくらとして形のよいもの。皮に傷のないもの

**Data**

**おもな産地**
愛知、和歌山、静岡

**注目の栄養成分**
カリウム、食物繊維

**エネルギー**
57kcal／100ｇ

**おいしい時期**
8月〜11月

**保存**
やわらかく傷みやすいので、ビニール袋に入れて冷蔵庫で１日以内。すぐに食べられないときは、ジャムやコンポート（果実の砂糖煮）に加工して保存を

料理

## いちじくのコンポート

（写真左はワインの白、右は赤を使用）

**材料**

いちじく…２個
砂糖…大さじ４
ワイン（赤白どちらでも）…カップ２
ミントの葉…少々

**作り方**

1. 煮立てたワインと砂糖の中に、皮をむいて切ったいちじくを入れ、７〜８分煮る。
2. 火を止め、味をしみ込ませる。
3. 冷めたら皿に盛って、ミントの葉を飾る。

料理

## いちじくジャム

**材料**

いちじく…２パック
砂糖…200g
レモン汁…大さじ１
ブランデー…少々

**作り方**

1. いちじくは皮をむき、ざく切りにし、砂糖といっしょに鍋に入れて中火にかける。
2. 沸騰したら弱火にし、焦げつかないよう注意しながら、なめらかになるまで煮る。
3. レモン汁、ブランデーを加え、火を止める。

果物

# もも
桃
peach

## とろける果肉とあふれ出る果汁

全国の遺跡から種が発見されていることから、弥生時代には食べられていたと考えられています。

本格的に栽培されるようになったのは、明治になってから。中国やヨーロッパから品種が導入され、日本各地でさまざまな品種が生まれました。

魅力はなんといってもその食感。果汁たっぷりで、とろけるような日本の桃は、世界でも高く評価されています。

食物繊維、カリウムのほかにポリフェノールの一種、カテキンも含まれており、ガン予防や老化防止の効果も期待できます。

また桃の葉は、肌の荒れを抑える効果があるとして、昔から利用されています。

**Data**

**おもな産地**
山梨、福島、長野、岡山

**注目の栄養成分**
カリウム、食物繊維、ナイアシン、糖質、ブドウ糖、カテキン

**エネルギー**
38kcal／100ｇ

**おいしい時期**
7月～9月

**保存**
熟していないものは常温で追熟。冷やしすぎると味が落ちるので、食べる寸前に冷やそう

甘い香りがあり、皮のうぶ毛がきれいなもの。傷やあたりがないもの

「白鳳」
7月中旬から8月上旬に出回る人気品種。果肉は白く、上品な甘みがあり、多汁。

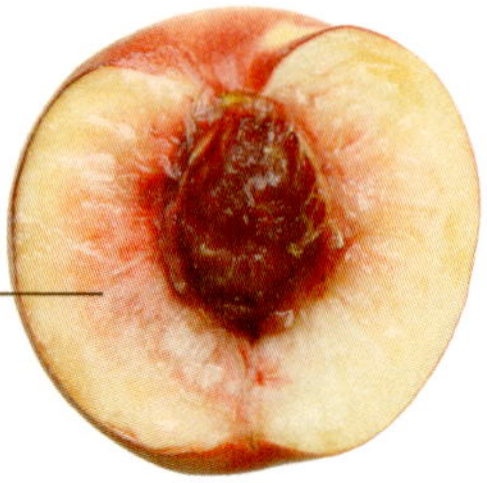

果肉が鮮やかなピンクのものは甘い

### 品種群

「岡山白桃」
**おいしい時期**：7月下旬～8月上旬
岡山や和歌山で生産。果皮も果肉も白っぽい。果肉はややわらかく多汁で、甘みもたっぷりの高級品種。

「黄桃（黄金桃）」
**おいしい時期**：8月下旬～9月上旬
黄色い果肉はかためなので加工用にされることが多いが、最近では生食用に出回ることも。コンポートに。

### 皮のむき方

いろいろな方法があるが、ここでは無駄が出ない「アボカド法」を紹介。

1 皮のくぼみに沿って、種まで届くよう、包丁を深く入れる。

2 両手で握り、一方を回すようにひねって、2つに分ける。スプーンで種を取る。

3 皮をむいて果肉をスライスする。

# ぶどう
## 葡萄 grape

## 世界でもっとも多く栽培されている果物

栽培の歴史は古く、およそ5000年も前から。その品種は1万もあるとされ、世界じゅうの広い地域でもっとも多く生産されている果物です。

世界のぶどう生産量の約8割がワインの原料として消費されているのに対し、日本では栽培されたものの約9割が生食用。巨峰、デラウェア、ピオーネが人気の品種です。

ぶどうには巨峰のような黒皮、甲斐路のような赤皮、マスカットのような緑皮の3種があります。黒皮と赤皮のぶどうには、抗酸化作用のあるアントシアニンが含まれています。

果糖、ブドウ糖などの糖質が主成分ですが、カリウム等のミネラルも含まれています。

皮につく白い粉は、ブルームという表面を保護する物質
ぶどうはつるに近い肩の部分のほうが甘みが強いので、下部から食べよう

「巨峰」
8月下旬～9月上旬
多汁で甘みたっぷり。最近は種なし品種が人気。

### Data

**おもな産地**
山梨、長野、山形

**注目の栄養成分**
糖質、カリウム、カルシウム、鉄、ポリフェノール

**エネルギー**
69kcal／100ｇ

**おいしい時期**
8月～10月

**保存**
ビニール袋に入れて、冷蔵庫の野菜室で2～3日

### 疲れたときはぶどうをつまもう

ぶどうの皮に含まれるポリフェノールにはアントシアニンやレスペラトールがあり、視力回復や肝機能調整、血圧降下などの強い抗酸化作用が知られている。また、ぶどうの果糖やブドウ糖は疲労回復効果が高いので、疲れたときにはもってこいの食物なのである。

### 品種群

「デラウェア」
**おいしい時期：**7月～8月（ハウスは5月～）
たいへんポピュラーな小粒品種。果汁がたっぷりで糖度が高い。種なし品種。

「ロザリオビアンコ」
**おいしい時期：**9月
マスカットオブアレキサンドリア×ロザキ。やや細長の大粒で皮ごと食べられる。芳香で上品な甘み。高級品種。

「ゴルビー」
**おいしい時期：**8月下旬～9月上旬
鮮やかな紅色が目を引く新種。大粒で丸い果実はすっきりとした甘みをもつ。種なし。ゴルバチョフの愛称より命名。

「ピオーネ」
**おいしい時期・産地：**7月～10月　岡山、山梨、広島
巨峰×カノンホールマスカット。マスカットに似た上品な風味。種なしはニューピオーネと呼ばれることも。

「甲《か》斐《い》路《じ》」
**おいしい時期・産地：**9月～10月　山梨
山梨特産の紅色マスカット系。上品な甘みとみずみずしさが特徴。粒落ちしにくいので贈答品として人気。

「ネオ・マスカット」
**おいしい時期：**9月上旬～10月上旬
マスカットオブアレキサンドリア×甲州三尺。果肉はしっかりとしていて多汁。糖度は高め。上品な香り。

# メロン 甜瓜 melon

## 甘い香りで食べごろをチェック

ヨーロッパから洋種メロンがもたらされたのは明治初期のこと。その後、温室を使ったメロン栽培が始まりました。

現在はハウスやトンネル栽培が主流で、温室で作られているのは高級品です。

皮の網目は、果肉が肥大する際に果皮がはじけてできたひびがかさぶた状になったもの。これがあるものをネットメロンと呼びます。代表的な品種はアールス、クインシーなど。プリンスメロンやハネデューは、ノーネットメロンです。

その果肉の色から「青肉」「赤肉」「白肉」の3つに分類されます。

栄養面ではカリウムが多く、赤肉のものにはカロテンも多く含まれています。

### Data

**おもな産地**
国産：茨城、北海道、熊本
輸入：メキシコ

**注目の栄養成分**
カリウム

**エネルギー**
露地：40kcal／100g

**おいしい時期**
露地：5月～8月

**保存**
熟すまでは常温で。食べる直前に冷やす。カットしたものはラップをかけて冷蔵庫で

つるが細く枯れているものがよい。青くてみずみずしいものは未熟。

### おしりをチェック

食べごろになると香りが高くなるだけでなく、おしりの部分がやわらかくなってくる。

### 保存法

種とわたの部分を取り除き、ラップをかけて冷蔵庫へ。ただし冷やしすぎると風味が落ちるので要注意。

### 未熟果は漬け物に

卵サイズの未熟果は漬け物にされる。なめらかな歯ざわりは絶品。

**「アールス（マスクメロン）」**
青肉系ネットメロン。温室栽培の高級品種。

品種群

**「クインシー」**
赤肉系のネットメロン。オレンジ色のなめらかな果肉と深い甘みが特徴。カロテンを多く含んでいる。果皮は灰緑色。近年、生産量が伸びている。

**「アンデス」**
果皮は灰緑色から黄緑色。果肉は青肉系のネットメロン。安価だが味と香りがマスクメロンに似ているので人気がある。名のアンデスは「安心です」に由来する。

**「ハネデュー」**
貯蔵性が高いウインターメロンで、果皮果肉ともに白っぽい。多汁で甘みがあるが香りは弱い。Honeydewはハチミツのしずくの意味。

# すいか
## 西瓜 watermelon

### 腎臓病予防に効果あり。夏バテ防止にも

日本の夏の風物詩といえばすいか割り。その90％以上が水分であるすいかは、水分補給とともに、利尿作用によって老廃物の排出を促し、疲れをいやしてくれます。体を冷やす効果もあります。

アジア諸国では果肉よりもその種子を食べる習慣がありますが、種子にはリノール酸が豊富に含まれています。フライパンでいってから皮をむいて食べます。

果肉よりも皮にカリウムとシトルリン（アミノ酸の一種）が多く含まれており、高血圧や動脈硬化の予防効果が期待できます。また、赤い果肉には、抗酸化作用のあるカロテンとリコピンが含まれています。

**Data**

**おもな産地**
千葉、熊本、山形

**注目の栄養成分**
カリウム、シトルリン、カロテン、リコピン

**エネルギー**
41kcal／100g

**おいしい時期**
7月～8月

**保存**
丸のままなら風通しのよい場所で、カットしたものは切り口をラップして冷蔵庫へ。甘みをおいしく感じる適温は15℃。冷やしすぎないように

切り口がみずみずしく、種が黒いものがいい

### 冷凍保存

食べ切れないときはひと口サイズに切って砂糖とブランデー（ウイスキーでもよい）をかけ、冷凍を。スムージーやシャーベットに。

### 種の位置

最新の医療機械ですいかの中をみると、種は図のように規則的に並んでいたそう。つまりしまの下に種があるというのは俗説。
種があらわれたところから角度を考えてずらし切りすると、種をよけられる。

品種群

### 「ダイナマイトスイカ」

黒皮すいか。黒に近い深緑色の果皮が特徴。真っ赤な果肉はみずみずしい。高級すいかとして贈答用にされる。北海道のJA月形が開発。

### 黄色すいか

上品な色だが、やや淡泊な風味のため最近、出回る量が減った。

# マンゴー

mango

## Data

**おもな産地**
沖縄、鹿児島、宮崎、フィリピン、メキシコ

**注目の栄養成分**
ビタミンC、カロテン、カリウム、葉酸

**エネルギー**
68kcal／100g

**おいしい時期**
国産：6月～8月

**保存**
完熟のものはビニール袋に入れ、冷蔵庫の野菜室で。食べごろは、収穫後7日前後

## 濃厚で効能たっぷり果物の女王

70年代から国内でのハウス栽培が始まりました。

宮崎産ブランド「太陽のタマゴ」は糖度15以上、重さ350g以上、色と形が美しい、という基準をクリアした最高級品。そのほか沖縄や鹿児島でもさかんに栽培されており、いずれも自然落下した完熟のマンゴーです。

ビタミンC、カロテン、葉酸、カリウムをたっぷり含み、美肌や貧血予防、便秘改善と、女性にはとくにうれしい果物です。

なめらかで傷がなく、色つやのよいもの

### 切り方

果実を三枚に下ろすように切り、種をはずす。皮を切らないよう注意し、果肉に格子状に包丁を入れ、果肉を押し上げて皿に盛る。

### ドライマンゴー

手軽に食べられることで人気のドライマンゴー。きざんでヨーグルトに混ぜたり、ケーキに焼き込むのもよい。水で戻し、ミキサーにかけるとジュースになる。

# ドリアン

durian

## Data

**おもな産地**
タイ、インドネシア、フィリピン

**注目の栄養成分**
ビタミン$B_1$、$B_2$、マグネシウム、カリウム、リン、銅、葉酸

**エネルギー**
140kcal／100g

**おいしい時期**　周年

**保存**
果肉だけになっているものは、においが漏れないよう密封して冷蔵庫の野菜室で3～4日。冷凍保存も可能

## 甘くねっとりとした果肉は、まさに熱帯産果物の王様

マレーシア原産の熱帯産果物。人間の頭ほどの大きさの果実は、とてもかたく、鋭い突起に覆われています。内部は5つの部屋に分かれており、クリーム色の果肉と、栗に似た種が数個入っています。

ねっとりとした果肉はとろけるほど甘いのですが、たまねぎの腐ったような、特徴あるにおいをともないます。

栄養価はとても高く、ビタミンB群とミネラルが豊富。疲労回復や皮膚の再生、貧血予防の効果も期待されます。

均整の取れた形で、独特の香りが強いものがよい

### 「持ち込み禁止」

東南アジアのホテルや航空機の機内、地下鉄等の公共機関では、あまりに強烈なにおいのため持ち込みが禁止されている。旅先で試してみる場合でも、食べる場所を選ぶ必要があるようだ。

# キウイフルーツ

kiwi fruit

## ビタミンCをレモンよりも多く含む

原産地は中国ですが、ニュージーランドで改良が進み、現在食べられている多くの品種が育成されました。

果皮の表面には褐色の細かい毛が生えており、丸くて愛らしいその見た目がニュージーランドの国鳥キウイに似ていることから、この名がつきました。

愛媛、和歌山、福岡での国内生産もさかんで、みかんの価格が暴落したときに、キウイ栽培を始めたところが多いようです。

栄養面では、ビタミンC、食物繊維、ミネラルが豊富で、美肌、疲労回復、ストレス解消、整腸などの効果が期待できます。また、たんぱく質分解酵素のアクチニジンを含むのも大きな特徴です。

### 肉のあとにはキウイのデザートを

皮付近にたんぱく質分解酵素のアクチニジンが含まれているので、肉といっしょに摂ると胃もたれを防ぐ働きがある。

皮にある茶色いうぶ毛がびっしりついているもの

さわってみてかたいものは未熟。冷蔵庫に入れて追熟を

### 追熟して甘くなる

キウイフルーツは完熟前に収穫、出荷される。購入したものが熟していなかったら、常温の部屋で追熟させよう。手に持ったときに弾力を感じられたら、そろそろ食べごろ。

### 国産キウイ

もっとも多く出回っているのはニュージーランド産で、輸入ものの95%を占めている。次いでチリ、アメリカと続く。国産キウイフルーツも生産量を伸ばしており、生産高の上位は愛媛、福岡、和歌山など。

### Data

**おもな産地**
国産：愛媛、福岡、和歌山
輸入：ニュージーランド

**注目の栄養成分**
ビタミンC、食物繊維、カリウム

**エネルギー**
緑肉種：51kcal／100g

**おいしい時期**
国産：11月
輸入：周年

**保存**
未熟なものは常温で。完熟果はビニール袋に入れ、冷蔵庫の野菜室で1週間

### 栽培分布図

輸入が多い。国産は愛媛、福岡、和歌山など。

品種群

### ゴールドキウイフルーツ

果肉が黄色く甘みが強い。「ゼスプリゴールド」でおなじみ。おしりは手でつまんだような形をしている。

### ベビーキウイフルーツ

果長が3㎝ほどのミニキウイ。おもにアメリカやチリからの輸入品。果皮は薄く、うぶ毛はない。

果物

# アボカド

avocado

## 世界一栄養価が高いといわれる果物

「森のバター」といわれ、その濃厚な風味はマグロのトロに似ていると評されるアボカド。洋風巻き寿司カリフォルニアロールで、その人気に火がつきました。

熱帯アメリカの原産で、5000年以上も前から栽培されており、日本へは100年ほど前に伝わりました。

アボカドの魅力は、その栄養価の高さ。2割近くを占める脂肪には、コレステロールを減らす働きがあるリノール酸やリノレン酸が含まれています。ビタミン$B_1$、$B_2$、E、ミネラル、食物繊維も豊富で、高血圧や脳梗塞の予防にも。

高カロリーなので、体力回復や成長期の栄養補給にもぴったりですが、ダイエット中の場合は要注意です。

### Data

**おもな産地**
輸入：メキシコ、チリ

**注目の栄養成分**
たんぱく質、ビタミン$B_1$、$B_2$、E、葉酸、食物繊維

**エネルギー**
178kcal／100g

**おいしい時期**
周年

**保存**
熟したものはビニール袋に入れて、冷蔵庫で2〜3日

### レモンで酸化防止

空気にふれるとどんどん色が悪くなるので、レモン汁をかけて色止めを。

皮の色は黒と緑の中間くらいがいい
皮にツヤとハリのあるもの。さわると皮が浮くものは避けよう

未熟
完熟

### 熟度の見分け方

アボカドは未熟なうちに収穫し、追熟させてから出荷される。果皮が緑色のものは未熟な状態。熟度が進むにつれ、だんだん黒く変色していく。しかし、熟しすぎると果肉まで黒っぽくなり、くずれやすい。手に持ったとき、やや弾力を感じるくらいがちょうどいい。

料理

### アボカドとマグロのイタリア風ユッケ

**材料**
アボカド…1個
マグロの刺身…適量
たまねぎ…½個
卵黄…1個分
A　オリーブ油、ビネガー、塩、こしょう…適量
　しょう油、わさび…少々
　コリアンダー…少々

**作り方**
1. アボカドとマグロの刺身は1㎝の角切りに、たまねぎはみじん切りにする。
2. Aを合わせてドレッシングを作り、卵黄以外の材料を和える。
3. 器に盛り、真ん中に卵黄をのせる。

# なし

## 梨 pear

## シャリシャリとした食感とみずみずしさを味わう

日本では弥生時代に栽培が始まったといわれ、『日本書紀』にも記述があります。

日本で食されているなしには「日本なし」「西洋なし」「中国なし」の3種があり、国内生産量は日本なしが圧倒的。さまざまな品種が作られていて、皮が褐色のものを赤なし、黄緑色のものを青なしと呼んでいます。

果肉にはリグニンやペントザンという成分からできた石細胞があり、これがシャリシャリとした食感を生んでいます。大半が水分ですが、たっぷりと含まれる果糖に疲労回復効果が、またソルビトールには便通を整える効果があります。

なしが「無し」に通じるので「有りの実」と呼ぶことも。

### Data

**おもな産地**
千葉、茨城、鳥取、福島

**注目の栄養成分**
食物繊維、ソルビトール、カリウム

**エネルギー**
日本なし：38kcal／100g

**おいしい時期**
日本なし：9月～10月下旬
洋なし：10月～12月

**保存**
ビニール袋に入れ、冷蔵庫の野菜室で1週間

「新高《にいたか》」
9月上旬～10月上旬
ビッグサイズの赤なしで、みずみずしく上品な風味。とくに高知産のものは糖度が高い。

形がよくどっしりして、皮にむらがないものを選ぼう

### 品種群

「南水《なんすい》」
**おいしい時期：**9月下旬～10月上旬
大型の赤なしで果肉はやわらかく甘みが強いのが特徴。日もちするので贈答用にも。

「新興《しんこう》」
**おいしい時期：**10月中旬～10月下旬
丸型で大玉の赤なし。果肉はやわらかく多汁で、甘さと酸味のバランスがよい。貯蔵性が高い。

「二十世紀」
**おいしい時期：**9月上旬～10月上旬
鳥取のブランドなしで、代表的な青なし。歯ざわりと果汁たっぷりの甘い果肉が特徴。

洋なし
**おいしい時期：**9月～12月
「ラ・フランス」は洋なしの代表品種。弾力に富んだ白い果肉ととろけるような口あたりが特徴。甘みも香りも強い。

果物
# かき
柿
persimmon

## ビタミンCたっぷりで家庭果樹としても人気

奈良時代から栽培されているなじみの果物。アジアやヨーロッパでも「kaki」の名前が通用します。

柿の渋みの元はタンニン。熟すと渋みを感じなくなる甘柿はそのまま食べられますが、渋みが残る渋柿は、アルコールや炭酸ガスを使って渋抜きをしてから出荷されます。

ビタミンC、カロテン、ミネラル、食物繊維が豊富なので、風邪や貧血予防、血圧降下が期待できます。とくにカロテンの一種クリプトキサンチンとリコピンに抗ガン作用があるといわれています。

タンニンにはアルコール分解作用があるので、二日酔いの朝は柿を食べましょう。

### Data

**おもな産地**
和歌山、奈良、福岡
**注目の栄養成分**
ビタミンC、カロテン、食物繊維、カリウム
**エネルギー**
甘がき：63kcal／100g
**おいしい時期**
9月～11月
**保存**
ビニール袋に入れ冷蔵庫の野菜室で1週間。熟しすぎたものも、冷凍するとシャーベットのようにしておいしく食べられる

### 「次郎」

**おいしい時期：**10月下旬～11月中旬
静岡原産。果実は偏平。完全甘柿。

### 柿の葉茶

柿の葉は熱に強いビタミンCとタンニンを含み、果実同様効能たっぷり。

### あんぽ柿と干し柿

あんぽ柿は、硫黄を使って渋柿を薫蒸したもの。果肉はゼリーのようにやわらかい。干し柿は、渋柿を屋外につるして乾燥させたもの。糖度が白い結晶となって表面にあらわれてくる。

品種群

### 「富有《ふゆう》」

**おいしい時期：**10月下旬～11月中旬
岐阜原産。甘柿の代表種。ふっくらと丸みがあり、果肉はやわらかで多汁。甘く日もちがよい。

### 「甲州百目」

**おいしい時期：**10月下旬～11月上旬
蜂屋、富士、渋百目ともいわれる。つりがね形をした大型の渋柿。渋抜きをして生食するか、あんぽ柿に。

### 筆柿

**おいしい時期：**9月中旬～10月上旬
愛知原産。筆の形に似ていることから、この名がついた。小ぶりの甘柿で歯ごたえがある。種あり。

### 「西条」

**おいしい時期：**10月上旬～10月下旬
広島原産。縦長の渋柿。上品な甘みで、果肉はややかため。日もちしないが、干し柿にしてもおいしい。

### 「平核無《ひらたねなし》」

**おいしい時期：**10月中旬～11月上旬
庄内柿やおけさ柿として出回ることもある。扁平で果肉はなめらか。甘みも強い。

# 食物繊維の話

食物繊維とは
いったい何でしょう?
つい30年前までは、
食物から栄養を吸収した
残りカスと考えられていました。
しかし近年、体にとって
重要な役割を担っていることが
わかってきたのです。

ごぼうを野菜として栽培し、食べるのは、世界でも日本人だけです。ごぼうは、たくさんの食物繊維を含んだすぐれた野菜ですが、その食物繊維の大切さを、日本人はいち早く理解していたのかもしれません。

日本人の腸は、穀物や野菜を中心とした食生活に対応して、欧米人の腸より長くできています。

一説には、日本人の小腸の長さは6～7mで、大腸は1.5～2m。両方合わせると、欧米人よりも2～3m長いそうです。この腸の長さは穀類や野菜の繊維質から栄養分を消化吸収するためで、食物繊維は短時間では消化されにくく、ゆっくり時間をかけることが必要。このため腸は、徐々に長くなっていったのだと考えられます。

ほかの動物でみると、羊の腸は体長の20倍以上の長さ、ライオンは体長の約4倍にすぎません。その背景には、やはり食べる物の違いがあります。かたい繊維の草を食べている羊は、その消化のために長い腸が必要ですが、肉食動物のライオンは、短い腸で充分だというわけです。

この理屈をあてはめると、食事が肉類中心のアメリカ人の腸は、その食生活に適した長さになっているといえます。しかし近年、日本人の食生活は急速に欧米化が進行。野菜の摂取率も米国人のそれを下回るという調査結果さえあります。その結果、腸内バランスをくずす人が増加しているとも考えられています。腸内バランスがくずれると、悪玉菌や腐敗物質が増え、便秘や下痢、感染性腸炎、さらには生活習慣病や大腸ガンなどの病気を引き起こしやすくなってしまいます。

腸内環境の改善には、何が必要なのでしょうか。

## 腸内環境と食物繊維

以前は、栄養的な価値のないもので、便として排せつされるだけのものと考えられてきたのが、食物繊維です。

おもな仕事は、腸壁にある余分な

カスを掃除しながら進むこと。おなかの中は37℃と、真夏のような温度ですから、もし、肉や魚などの生ゴミを置いておけば、とても腐りやすい環境なのです。そんな場所からゴミを片づけるのが、食物繊維の仕事です。

もうひとつ重要な役割があります。人間の消化酵素では分解できない食物繊維も、腸内細菌によって発酵されて（そのときに出るガスが、おなら）、腸内環境を健康に保つ善玉菌のエサとなるわけです。このように善玉菌が活躍できる大腸の環境は良好といえます。そして、大腸が良好であると、その手前の小腸の環境にも影響をあたえるのです。

小腸は、食べ物から栄養を吸収するところ。吸収するということは、異物も侵入しやすい場所ということですから、強い免疫機能（腸管免疫）をもち合わせているわけです。その免疫機能は、体全体の免疫力に大きな影響をもっていると考えられています。

そんな小腸の機能も、大腸の状況しだい。つまり大腸の善玉菌の働きは、体全体の働きにつながっているということ。そして、その善玉菌の環境を守るためには、食物繊維が重要だということです。

## 一日に必要な食物繊維

ごぼうは見るからに繊維の多い野菜ですが、食物繊維には大きく分けて2つの種類があります。水にとけない不溶性と、水にとける水溶性です。不溶性食物繊維は、水分を吸収して便をやわらかくし、消化管を通過する時間を短くします。

水溶性食物繊維は、不溶性食物繊維よりも、さらに水分を吸収してふくらむ（保水力にすぐれている）ため、腸内の有害物質を体外に排出する働きがあり、便の容積を増しやわらかくして、便秘予防や痔になりにくくする働きがあります。

この食物繊維の摂取は成人の場合、男性20g以上、女性18g以上が一日に必要だとされています。しかし最近の日本人は、平均15gほどしか摂っていないとか。20gという必要量は、ごぼうでいえばおよそ2本、かぼちゃでいえば半個、にんじんなら3〜4本、ブロッコリーなら2株という計算です。もちろん野菜以外の食品の中にも食物繊維は含まれていて、とくに大豆や小豆の豆類、寒天、ひじきなどの海藻類にも豊富。

つまり、私たちが昔から食べていた食品が、日本人の腸内環境にいちばん適しているということがいえるのではないでしょうか。

# 薬味
# ハーブを食べる

香りが強く、
一般に香味野菜やハーブと
呼ばれているものを
集めました。
おもに風味づけに
用いられています。

KITCHEN
GARDEN

# イギリスキッチンガーデン事情

園芸がさかんなイギリスでは
家庭菜園も高い人気を誇っています。
貴族の広大な庭園にも
庶民のこぢんまりした庭にも、
ハーブやレタスが育つ
キッチンガーデンがありました。

## 庭とともに暮らすイギリス人

イギリスで個人の庭をたくさん見て回るうちに、私はあることに気がつきました。必ずといっていいほど、どんな庭にもその一角にキッチンガーデンと呼ばれる野菜コーナーがあるのです。

住人は花の種と同じように野菜の種をまき、あたりまえに季節の滋味をたのしんでいる模様。イギリス人にとって庭は観賞するだけのものではなく、暮らしの一部分であることが感じ取れます。

キッチンガーデンは季節の野菜に加え、プラムやベリーなどの果樹、ハーブ各種、そして色とりどりの草花を合わせて構成されています。野菜以外の植物をいっしょに植えると、区画にメリハリがきいて見栄えがよいばかりか、植物どうしが互いに影響を及ぼし合い、「他感作用（Allelopathy）」が生じるという利点があるのです。

キッチンガーデンには永きにわたる園芸の知恵がぎっしりつまっているわけで、素人の造るかわいらしい畑と侮ってはいけません。

キッチンガーデンは、時として装飾的です。区画全体を囲むツゲの生け垣、トーテムポールのような大きな支柱、さらにはステンドグラス入りの作業小屋まで設置されていることもしばしば。彼らには、「おもしろがってやる」ユーモア精神と「なんでも作ってみる」ＤＩＹスピリットが国民性として備わっているので、造形的かつ個性的な庭が多いのです。

つまり小さな畑には、あらゆる暮らしのたのしみがつまっているのだと思いました。

## 食べるものを育てる庭

イギリス人にとって主食の概念はありませんが「主食はじゃがいも」といい切ってもよいでしょう。それくらい、彼らは多量のじゃがいもを消費しているのです。

当然、栽培されている野菜の王様はじゃがいも。まったく手間がかからないので、あいている土地には全部じゃがいもを植える手抜き菜園家もいるようですが、これも意外と堅実かもしれませんね。

次にポピュラーなのはたまねぎ、いんげん、ブロッコリー。日本ではなじみのないビーツも見かけます。ボルシチに入れる、真っ赤なかぶのような野菜です。イギリスの種苗関係者いわく「どういうわけか、ビーツの種がよく売れるんですよ。酢漬

けくらいしか食べ方がないのに…」

茎が赤く、庭に植えるととても映えるビーツは、アクが強くかなりクセがあります。イギリス人は観賞用にもなるこんな野菜を庭で育てるのが大好きらしいのです。

スーパーの売り場を眺めてみてもわかりますが、イギリスにはやたらとかたい野菜が多いのです。キャベツは葉がつまりすぎて1枚ずつむけないし、にんじんにいたっては、うさぎのように頑丈な歯の持ち主でないと、噛み砕けないくらい。「とにかく充分にゆでることが野菜料理のコツ」とイギリス料理の本には書いてあるので、それもうなずける話。主婦はブロッコリーを30分もゆでてしまう国なのですから。

もう一方の畑の主役はハーブでしょう。腹痛にはコリアンダーの種を5～6粒、風邪ぎみならタイムティーと生活に直結している植物、ハーブ。それは人間だけでなく、ほかの植物や昆虫にも影響を与えます。たとえば、セージはキャベツの生育を促進するし、ボリジの花はミツバチを呼び、そのおかげで野菜の受粉が促されます。そんな植物どうしの相性をうまく利用する「コンパニオンプランティング」という考え方をベースに、混植をおこなっている菜園家が多いそうです。

野菜やハーブの中にはユニークな姿形のものも少なくないので、イギリスの菜園家は積極的に畑に取り入れ、視覚的なポイント作りに役立てていました。大きなつぼみのアーティチョークや赤葉のキャベツ、ココア色のひまわりなどはうってつけですが、それなりのスペースがあって初めて映えるわけで、狭い日本の畑に植えると、きっとごちゃごちゃになるでしょうね。

## 土を作る

キッチンガーデナーがもっとも真剣に取り組むのは土作りでしょう。有機物を充分にすき込んだフカフカの土に植えれば、植物たちが健全に育つのは当然のこと。堆肥に対して一方ならずこだわりをもっているイギリス人は、必ず庭の片隅でオリジナルコンポストを作っていました。

育てた野菜の茎や葉、刈り取った芝などもコンポストに戻り、再び野菜を育てるという究極のリサイクル。イギリス人にはごく普通の行為なのですが、私たち日本の園芸家の意識はまだまだそこからはるか遠いところにあるような気がします。追いつける日がくるのでしょうか。

自家製の野菜栽培では、彼らは化学薬品はほとんど使いません。イギ

リスの気候は乾燥ぎみなので、湿度の高い日本で多発する灰色カビ病、軟腐病、アブラムシ、ハモグリバエなどの病害虫がほとんど見られない（ただしナメクジとカタツムリは例外。うじゃうじゃいました）というのです。これにはただ羨望《せんぼう》のため息が出るばかり。病気に強い品種を選ぶ、野菜にストレスを与えない、など日本の風土に合わせた対処方法を実践しなければ、と思いました。

## グルメブームのイギリス

　このところイギリスではグルメブームに沸いているのをご存じでしょうか。まずいといわれながらもいっこうにかわらなかった伝統的イギリス料理。その呪縛《じゅばく》からようやく解き放たれた料理人たちは、フレンチやイタリアン、和風、エスニックと融合させた新しいスタイルのモダンブリティッシュ料理を作り出しているのです。

　このところ家畜病の発生も追い風になり、イギリス国内では野菜料理に対する期待がどんどん高まっています。有機野菜志向はもちろんのこと、自分で栽培しようという若い世代が市民農園に押しかけているというから驚きです。また、市場に出回る野菜の種類にも変化があらわれ、私たちがのぞいたキッチンガーデンで栽培される野菜たちにも、少しずつ新顔がみられるようになってきています。ズッキーニや黒キャベツ、フランスなす、水菜やみぶな、パクチョイも今ではポピュラーに。伝統に基づいて造られてきたイギリスのキッチンガーデンに、確実に新しい風が吹き始めているのがよくわかります。

　栽培することによって、作り手も野菜も健全になれるようなキッチンガーデンライフ。そのためにはおおいに遊び心をもって、とにかく楽しむことが重要。ハチのようにたくさんの菜園を飛び回ったあと、私はそう確信しました。

真《ま》木《き》文《ふみ》絵《え》
（園芸エッセイスト・童話作家）

香味野菜

# にんにく

## 大蒜

garlic

## 抗菌・殺菌作用が高くウイルスや細菌から体を守る

　中央アジア原産で、古い時代に日本に伝わり、強い強壮効果を持つ薬用植物として利用されてきました。香辛料としての利用がさかんになったのは、戦後のことです。

　食用にするのは鱗茎《りんけい》で、地下茎が肥大した部分。若い花茎が「にんにくの芽」です。

　ねぎ類の中ではもっとも多くアリシンを含みます。アリシンは体内でビタミン$B_1$と結合すると、疲労回復効果があります。きざんで油で炒めると、その効果は一層アップし、抗ガン作用や血栓予防、脂肪分解促進、抗菌といったさまざまな働きをします。

　国産品の7割は青森産。中国産も多く流通しています。

粒が大きく、かたくて締まりのあるもの。軽いものは乾燥しすぎている

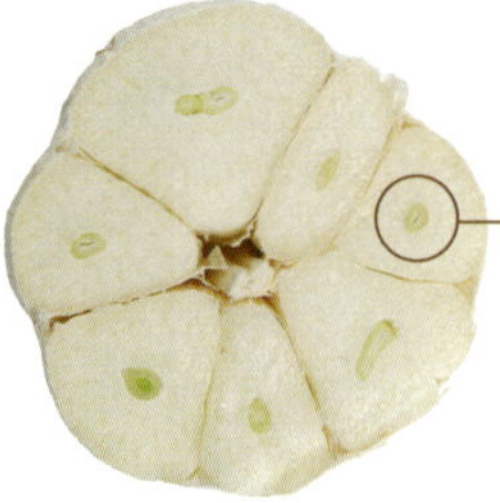

にんにく片の芽は調理の際に焦げやすいので、取り除いたほうが風味がよくなる。

### Data

**注目の栄養成分**
カリウム、ビタミン$B_1$、$B_2$、アリシン（硫化アリル）

**エネルギー**
129kcal／100g

**おいしい時期**
5月〜7月

**保存**
風通しのよい場所につるす

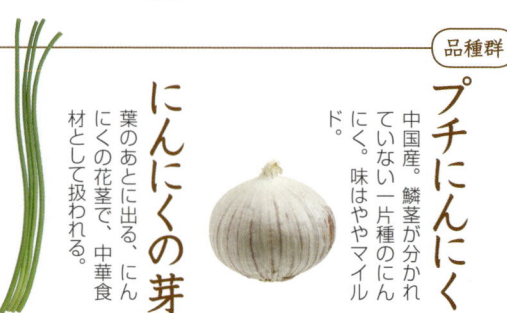

### フルーティーにんにくって？

にんにくを熟成発酵させたもので、真っ黒な色が特徴。生にんにくと比べると、ポリフェノールは10倍、アミノ酸は2.5倍含まれ、抗酸化作用は10倍といわれている。にんにく臭は消え、甘酸っぱい。

### にんにくしょう油漬け

1片ずつ離して薄皮をむいたにんにくを、しょう油に漬けるだけ。香りが移ったしょう油は調味料として、にんにくはきざんで薬味風に使う。ほかに、はちみつ漬け、オリーブ油漬けも便利。味噌や梅肉に漬ける場合は、3〜4分蒸してから。冷蔵庫で長期間保存可。

品種群

### プチにんにく

中国産。鱗茎が分かれていない一片種のにんにく。味はややマイルド。

### にんにくの芽

葉のあとに出る、にんにくの花茎で、中華食材として扱われる。

# しょうが

生姜 ginger

## 血行をよくし新陳代謝を高めてくれる

3世紀以前に中国から伝えられ、以来、薬効の高い食物として人々の暮らしにとけ込んでいます。

強い辛みは、ジンゲロンとショウガオールによるもの。ジンゲロンは血行を促進し、体を温める作用があるので、風邪のひき始めや冷え性、生理痛に有効です。殺菌効果も高く、生ものにも添えます。

ショウガオールはとくに抗酸化作用が高く、抗ガン性があるといわれ、アメリカ国立ガン研究所が定めた「ガン予防が期待できる食品」にも選ばれています。

食欲をそそる香りはジンギベレンやシトロネラールなど。辛み成分と相まって、香辛料としても幅広く使われています。

### 根しょうが

ふっくらと形がよく、かたいもの。傷がないもの

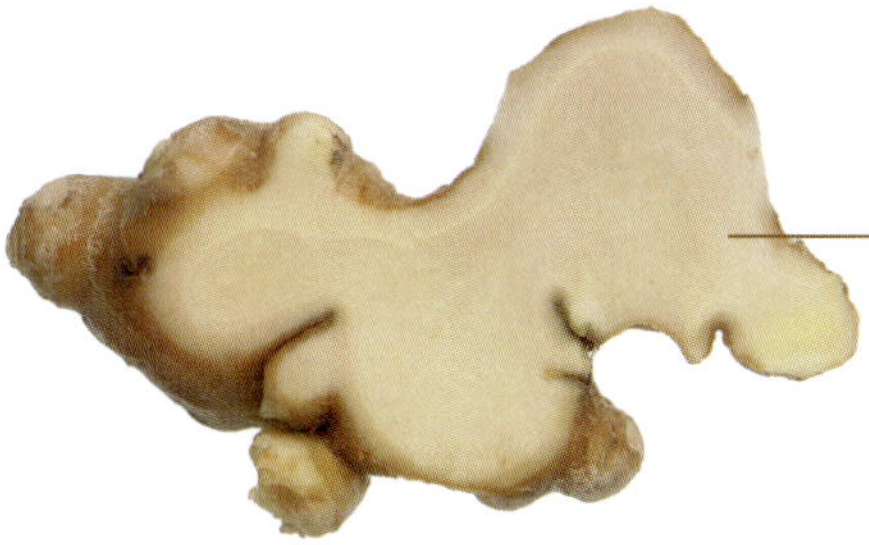

切り口にカビやひからびがないもの

**Data**

**注目の栄養成分**
カリウム、カルシウム、マグネシウム、ジンゲロン、ショウガオール

**エネルギー**
28kcal／100ｇ

**おいしい時期**
新しょうが：6月～8月

**保存**
しめらせた新聞紙に包んで常温で保存。すりおろしたものは冷凍保存も可

### 新しょうがで作るガリ

薄くスライスした新しょうがをサッとゆでて冷まし、甘酢に漬ける。紅い部分をいっしょに漬け込むと、きれいなピンク色に。

### 体ぽかぽかしょうがの飲み物

風邪のひき始めには、おろししょうがときざみねぎに熱湯に注いだものや、しょうがとはちみつを熱湯でとかしたものを飲むと、体が温まる。

品種群

### 新しょうが

初夏に出回る、みずみずしい根しょうが。茎のつけ根が鮮やかな紅色をしている。

### 葉しょうが

新しい根を葉つきのまま収穫する。茎をつけたままみそをつけて食べたり、甘酢に漬けたりしても。谷中しょうがともいう。

香酸かんきつ類

# すだち・かぼす・ゆず

sudachi・bitter orange・yuzu

## 強い酸味に健康効果がたっぷり

かんきつ類の中で酸味がとても強く、生食には向かないけれど薬味や風味づけに用いるものを、香酸かんきつ類と呼んでいます。代表的なものはレモンやライムです。

日本の香酸かんきつ類は40種ほどあり、だいだい、シークヮーサー、ジャバラも含まれます。香酸かんきつ類全体の国内生産量のうち、すだち、かぼす、ゆずの3つで8割を占めています。

栄養面ではカリウムとビタミンC、クエン酸が豊富で、風邪予防や疲労回復、美肌効果があります。果皮には活性酸素の動きを阻止する成分も含まれていますが通常、皮を利用するのはゆずだけです。

## すだち　酢橘

**Data**

**注目の栄養成分**：カリウム、ビタミンC
**エネルギー**：29Kcal／100g（果汁）
**おいしい時期**：8月下旬～10月中旬
**保存**：ビニール袋に入れて冷蔵庫へ

果重は30～40gと小粒な果実で、生産量の98％が徳島産。8月～10月に緑色の未熟果を収穫します。完熟すると香りが消えてしまいます。

さっぱりした酸味はまつたけとの相性ぴったりで、いっしょに箱づめされて売られていることも。また、サンマなどの焼き魚や刺身、湯豆腐にも添えられます。年間の生産量はかぼすを上回ります。

## かぼす　香母酢

**Data**

**注目の栄養成分**：カリウム、ビタミンC
**エネルギー**：36Kcal／100g（果汁）
**おいしい時期**：8月～11月
**保存**：ビニール袋に入れて冷蔵庫へ

すだちよりも大きく、生産量の9割以上が大分産。江戸時代に皮をきざんで蚊をいぶしたところから、蚊いぶし→かぶし→かぼす、と呼ばれるようになったという説があります。まろやかな酸味が特徴で、ふぐ料理、鍋物やお吸い物に使われます。

ハウス栽培もされており、こちらは3月中旬から7月にかけて出回ります。

## ゆず　柚子

**Data**

**注目の栄養成分**：カリウム、ビタミンC
**エネルギー**：30Kcal／100g（果汁）
**おいしい時期**：11月～、8月～9月（青ゆず）
**保存**：ビニール袋に入れて冷蔵庫の野菜室へ

奈良時代にはすでに栽培されており、古くから生活にとけ込んでいる果実です。果重は130g前後。一般的な「黄ゆず」は黄色く熟してから収穫するので、11月からがおいしい時期。夏に出回る「青ゆず」は未熟果のことを指します。果肉と比べ果皮にはより多くの抗酸化作用があるので、調理方法を工夫して積極的に体に取り入れたいものです。

香味野菜

# さんしょう

山椒

Japanese pepper

## さんしょうの辛みは胃腸に効く

日本各地の山野に自生するさんしょうは、有史以前から利用されてきました。

やわらかい若芽は「木の芽」とも呼ばれ、吸い物や和え物などのあしらいに使われます。未熟な青い果実は「青ざんしょう」、熟した果実は「実ざんしょう」と呼ばれ、佃煮に。はじけた果実の皮を砕いたものが「粉ざんしょう」。さらにかたい枝はすりこぎに利用されています。

さんしょうの辛みはサンショオールという成分で、食欲増進や基礎代謝上昇といった効果があります。また、麻酔に似た作用もあり、舌がしびれるのはそのためです。抗菌殺菌効果も高く、昔は虫下しとして使われていました。

秋になってはじけた実。茶色い外皮を砕いたものが粉ざんしょう。中の黒い実は種。

青ざんしょうと呼ばれる若い果実。未熟でも果皮は辛い。

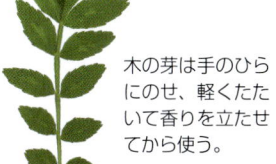

木の芽は手のひらにのせ、軽くたたいて香りを立たせてから使う。

さんしょうの木には雌雄があり、実をつけるのは雌木。ただし近くに雄木がないと結実しない

### Data

**注目の栄養成分**
サンショオール、シトロネラール、ジテルベン

**エネルギー**
375kcal／100g（粉）

**おいしい時期**
木の芽：3月～5月
青ざんしょう：6月～7月
実ざんしょう：11月

**保存**
木の芽はしめらせたキッチンペーパーに包んでビニール袋に入れ、冷蔵庫の野菜室へ

### 土用のうなぎとさんしょう

土用の丑の時期は、暑さで胃腸の機能が低下しているころ。脂っこいうなぎを食べるのに消化を促進してくれるのが、さんしょうというわけ。

料理

### さんしょうの実のしょう油漬け

**材料**
青ざんしょう…適量
しょう油、酒、みりん…適量

**作り方**
1. たっぷりの水に青ざんしょうの実を入れ、沸騰したら火を弱めて30分ほど加熱する。
2. ザルに取って冷まし、再び鍋に入れ、しょう油、酒、みりんを入れて弱火で煮る。
3. 沸騰直前に火を止め、熱いうちに消毒したびんにつめる。

### おいしいカレンダー

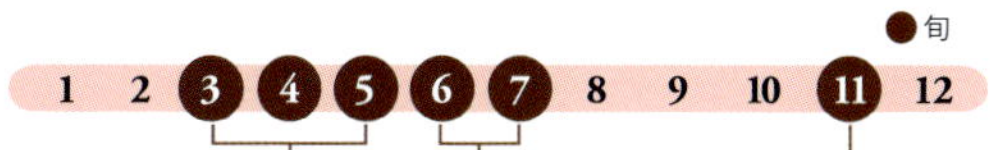


**木の芽**　栽培ものは周年出回っている
**未熟果**　佃煮を作るなら、この時期
**粉ざんしょう**　熟した果皮を砕いた粉末

香味野菜

# みょうが

茗荷 Japanese ginger

## 香り成分に食欲増進や消化促進効果が

本州から沖縄までの日本各地に自生している香味植物ですが、野菜として栽培しているのは日本だけです。

私たちがふだん食べているのは、みょうがの地下茎から出る花穂で、花みょうがとも呼ばれています。6月～8月に出る夏みょうがは少し小ぶりで、8月～10月に出る秋みょうがは大きく、そして色も鮮やかです。

一方、若い茎を軟白栽培し、ほんの少しだけ日にあてて赤みをつけたものを、みょうがたけと呼んでいます。

みょうがの香り成分はアルファピネンというもので、食欲増進、消化促進、血行促進、発汗作用といった効果があげられます。夏バテに。

傷がなく、締まっているもの。つぼみが見えていないもの

### Data

**注目の栄養成分**
カルシウム、カリウム、アルファピネン

**エネルギー**
11kcal／100g

**おいしい時期**
みょうが：6月～10月
みょうがたけ：3月～5月

**保存**
しめらせたキッチンペーパーに包んで冷蔵庫の野菜室へ。丸のまま冷凍保存も

## 使い方

しだいに赤く発色する美しいみょうがの甘酢漬けは、そのままはし休めに。あるいはきざんで酢の物に入れたり、寿司のネタにしたりしてもよい。

料理

### みょうがの甘酢漬け

**材料**

みょうが…1パック
甘酢　酢…大さじ4
　　　砂糖…大さじ2
　　　塩…少々

**作り方**

**1.** 甘酢の材料を煮立てて、冷ましておく。
**2.** みょうがにサッと熱湯をかけ、アクを抜いてから、甘酢に漬ける。

### みょうがを食べると忘れっぽくなる？

こんな逸話が残っている。
「釈迦の弟子の一人は物忘れがひどく、自分の名前さえ忘れるので、首から名札を下げていたが、それすらも忘れてしまうほどだった。彼の死後、お墓に行ってみると、みょうががたくさん生えていた」
つまり、みょうがを食べると忘れっぽくなる、というわけではない。

中身がよくつまっているもの

### 栽培分布図

高知、秋田、奈良などが主要産地。みょうがたけは宮城、奈良など。

### おいしいカレンダー

| 1 | 2 | 3 | 4 | 5 | 6 | 7 | 8 | 9 | 10 | 11 | 12 |
|---|---|---|---|---|---|---|---|---|---|---|---|

3～5月：みょうがたけ　6～8月：夏みょうが　8～10月：秋みょうが

生産量の約98%が高知のハウス栽培もの。
みょうがたけのハウス栽培は宮城。

# わさび

## 山葵

Japanese horse-radish

## 辛み成分には高い殺菌効果が

本来は山間の渓流に自生する香辛野菜。古くから利用されていましたが、江戸時代に静岡で栽培が始まりました。

水の中で育つものが沢わさび（水わさび）、畑で育つものを畑わさび（陸わさび）と呼びます。すりおろすのは根茎の部分で、ごつごつとしているのは葉柄がついていた跡。葉、葉茎、花にも辛みと香りがあり、どれも食用にされています。

わさびの辛み成分アリルイソチオシアネートには強い殺菌作用があり、とくに生魚との組み合わせは食中毒を防ぐ効果があります。刺激的な香りは食欲を増進させ、消化を促します。この辛み成分は揮発性なので、おろしたてを使いましょう。

おもに沢わさびは生食に、畑わさびはわさび漬けなどに加工される。ねりわさびや粉わさびは別種のわさび大根（ホースラディッシュ）を使っている。

太くてみずみずしいものがよい。葉茎が黒ずんでいるものは避ける

### Data

**注目の栄養成分**
ビタミンC、カリウム、カルシウム、アリルイソチオシアネート

**エネルギー**
89kcal／100g

**おいしい時期**
周年。ただし辛みが増すのは冬

**保存**
しめらせたキッチンペーパーに包んでビニール袋に入れ、冷蔵庫の野菜室へ

### おろし方

わさびは葉茎のついているほうからおろす。葉を落とし、汚れている部分をこそぎ落としてから、さめ皮のわさびおろしか、目の細かいおろし金で「の」の字を書くように丸くおろす。空気にふれることで辛みは増す。

### 花わさび

葉茎に熱湯をかけ、密閉容器に入れてふたをし、そのまま冷やす。辛みが出たらおひたしなどに。

### 栽培分布図

ハーブ

# パセリ

parsley

## 栄養価が高く食欲を増す

原産地はヨーロッパ。紀元前から食用にされていたハーブで、日本に入ったのは18世紀といわれています。オランダから長崎に伝わったので〝オランダゼリ〟の和名があります。

葉を食用とするものには、ちぢれ葉種（カーリーパセリ）と平葉種（イタリアンパセリ）があります。また太った根を食用とする「根パセリ」という種類もありますが、日本では今のところほとんど普及していません。

カロテン、ビタミン$B_1$、$B_2$、Cをたっぷり含み、カルシウム、マグネシウム、鉄などのミネラルも豊富です。独特の香りはアピオールという精油成分で、食欲増進、疲労回復、口臭予防などに効果があります。

### Data

**注目の栄養成分**

カロテン、ビタミン$B_1$、$B_2$、C、カルシウム、マグネシウム、鉄

**エネルギー**

34kcal／100g

**おいしい時期**

周年

**保存**

ビニール袋に入れて冷蔵庫の野菜室に

葉色が濃く鮮やかなもの。葉が細かくちぢれて、ハリがあるもの
茎がみずみずしくてハリがあり、弾力のあるものがよい

カーリーパセリ

### 鉢ひとつで手軽に栽培

水はけのよい培養土に苗を植え、窓辺などで育てる。本葉が15枚ほどの株に育ったら、外葉から摘んで収穫する。常に8～10枚の葉を残すようにすれば、長期間楽しむことができる。

料理

### はまぐりのパセリバター

**材料**

パセリ…1束
バター…60g
にんにく…2片
はまぐり…適量

**作り方**

1. バターを熱してみじん切りしたにんにくを入れ、パセリのみじん切りを加えてパセリバターを作る。
2. 焼いて開いたはまぐりにパセリバターをかけて焼き上げる。

＊ エスカルゴソースとも呼ばれるパセリバターは、魚介類や肉以外にもいろいろな素材と相性がいい。

品種群

### イタリアンパセリ

平葉種のパセリ。さわやかな芳香があり、ちぢれ葉種に比べて香りや味にクセがないのが特徴。

# バジル
basil

## 新鮮な香りで集中力アップ

原産地はインドや熱帯アジア。古代ギリシャでは「王様の薬草」と呼ばれ、古くからその効能が知られていました。

さわやかで甘みのある独特の芳香があり、サラダやパスタ、トマト料理など、イタリア料理に欠かせないハーブです。スイートバジルをはじめ、紫色のダークオパールバジル、こんもり茂るブッシュバジルなど多くの品種があります。

カロテンやビタミンEのほか、カルシウム、鉄、マグネシウムなどのミネラルが豊富。

また、リナロールなどの香り成分には、鎮静作用、食欲増進、抗菌作用といった働きがあるほか、集中力を高める効果があるといわれています。

葉が密に茂り、茎もしっかりしているものは香りが強い

**スイートバジル**

葉の色が濃くてみずみずしく、葉先までハリがあるもの

### Data

**注目の栄養成分**
カロテン、ビタミンE、リナロール、カルシウム、鉄、マグネシウム

**エネルギー**
21kcal／100g

**おいしい時期**
7月～8月

**保存**
水に挿して1～2日、または葉だけを冷凍や塩漬けに。あるいは乾燥させ、密閉容器に

料理

### バジルペースト

**材料**

バジルの生葉…1パック
松の実…大さじ1
パルメザンチーズ…大さじ2
にんにく…1片
エキストラバージンオリーブ油…大さじ4
塩…少々

**作り方**

材料すべてをフードプロセッサーにかけ、ペーストを作る。
＊このソースはジェノベーゼとも呼ばれる。

### ドライにしてお茶を楽しむ

たくさん手に入ったらバジルペーストにしたり、冷凍したりして保存する。乾燥させると風味は落ちるが、ドライのハーブティーは、イライラやアレルギーなどにも効果があるといわれている。

### 種から植えてたっぷり収穫

バジルは種からでも簡単に栽培できるので、たっぷり使いたい人は自宅での栽培がおすすめ。株がある程度大きくなったら、枝先を止め、摘心（いちばん上に新しく出た芽を取ること）しながら収穫すると、わき芽が伸びて、大きな株に生長し、長い間収穫が楽しめる。

ハーブ

# タイム

thyme

## 加熱しても風味そのまま

原産地はヨーロッパ。さわやかな芳香と殺菌、防腐効果があり、古代エジプトではミイラの防腐剤として使われていたといわれています。

香りの主成分はチモールやカルバクロール。加熱しても風味が落ちないので、煮込み、オーブン焼きなど、さまざまな調理法が楽しめます

コモンタイムやレモンの香りのレモンタイムなど多くの品種があるので、用途に合わせて利用しましょう。

### のどの痛みに タイムティー

タイムは殺菌力が強いので、お茶にしてうがいや口内洗浄に使うと効果的。また、二日酔いにも有効とされている。

**Data**

**注目の栄養成分**
ビタミンB群、チモール、カルバクロール

**おいしい時期**
5月～10月

**保存**
水に挿して2～3日、あるいは乾燥させて密閉容器に

# オレガノ

oregano

## ドライにして香りを楽しむ

地中海沿岸地方原産の多年草で、強くスパイシーな香りがあります。トマトとの相性が抜群で、イタリア料理やメキシコ料理には欠かせないハーブです。

香りの主成分はカルバクロール、チモール、ピネンなど。抗菌作用があり、風邪、気管支炎、頭痛、生理痛、疲労けんたいなどの回復に効果があるといわれています。

ドライにしても風味が損なわれず、肉や魚のにおい消し、ピザ、オムレツ、ドレッシングなど、さまざまな料理に使えます。

花が咲く直前のものが香りが強い。花後は風味が落ちる

**Data**

**注目の栄養成分**
カルバクロール、チモール

**おいしい時期**
5月～10月

**保存**
水に挿して2～3日、あるいは乾燥させて密閉容器に

料理

### 手羽焼きオレガノ風味

**材料**

鶏手羽先…2パック
オレガノ…1枚
酒、しょう油、砂糖…適量
オリーブ油…適量

**作り方**

1. ジッパーつきの袋にオレガノ、鶏肉、調味料を入れ、よくもんで味をしみ込ませる。
2. オリーブ油で、焦がさないように注意しながら焼く。
3. 皿に盛りつけ、オレガノの葉を散らす。

# ローズマリー

rosemary

## 抗酸化作用で若返り

地中海沿岸地方原産の常緑低木で、針葉樹に似た強い香りがあります。肉や魚、野菜のローストなどによく利用されます。

香りの主成分は、カンファー、シネオール、ボルネオール、ピネンなどの精油。気分をリフレッシュさせ、頭を活性化させるといわれており、アルツハイマー病の予防効果が高いことが、日米合同研究チームより発表されました。肌を引き締め、いきいきとさせる、若返りのハーブといえるでしょう。

ローズマリーの枝を入れて香りを移したワインは食前酒に

料理

### ローズマリー・チーズ

**作り方**

スライスしたチーズに、はちみつをかけ、ローズマリーの葉を散らす。

チーズはセミハードやハードタイプが合う。

**Data**

**おいしい時期**

5月～9月

**保存**

水に挿して2～3日、あるいは乾燥させて密閉容器に

# セージ

sage

## 肉料理には欠かせない

原産地は地中海沿岸地方や北アフリカ。サルビアの仲間で多くの品種があります。肉の臭み消しに適し、ソーセージをはじめ、ラム肉や豚肉、内臓などの肉料理に欠かせないハーブです。

セージの学名はラテン語の「治療」が語源で、古代から薬草として利用されてきました。精油の主成分はシオネール、ボルネオール、カンファーなどで、殺菌、強壮、消化促進、精神安定などに効果があるといわれています。

葉が肉厚で、ビロード状のうぶ毛がある。葉先までハリがあるもの

**Data**

**おいしい時期**

5月～10月

**保存**

乾燥させ、密閉容器に入れる

### ソーセージの語源にも

ソーセージの語源はハーブのセージ。豚肉や血のにおいを消してよい香りをつけ、さらに防腐の働きもある。

ハーブ

# ペパーミント

peppermint

## 爽快な香りで口臭予防

シソ科の多年草で、和名はハッカ。香りの主成分はメントールで、殺菌、口臭予防、消化促進、鎮痛などに効果があります。すっきりとした清涼感があり、ヨーロッパ、北アフリカ、中東、アジア、中南米などで、お茶や料理に使われています。

数多くの品種がありますが、地下茎で増えるミントは交雑しやすので、栽培する場合は、混植しないようにしましょう。

葉がみずみずしく、全体にハリがあるものが新鮮

### 花粉症対策に効果あり

ペパーミントに含まれるミントポリフェノールは、花粉症などのアレルギー症状を抑える効果があるといわれている。ミントポリフェノールは水にとけるので、生葉やドライリーフのお茶がおすすめ。

**Data**

**おいしい時期**
6月～9月

**保存**
水に挿して1～2日、あるいは乾燥させて密閉容器に

# スペアミント

spearmint

## 飲み物にしてリラックス

別名グリーンミントと呼ばれるハーブで、ペパーミントに比べると甘い香りがします。香りも刺激的でなく、料理に使うにはいちばんクセがないミントです。ベトナム料理でよく使われているのも、このスペアミントです。

疲れているときにミントティーを飲むとリラックスし、気分がすっきりします。また口臭予防、抗菌、鎮痛といった効果があります。甘みがあるので、ケーキやクッキー、アイスクリームにもよく合います。

葉の色が鮮やかで、全体にハリがあってみずみずしいもの

料理

### ミントミルク

**作り方**

耐熱のグラスやカップにスペアミントの生葉をたっぷりと入れ、温めた牛乳を注ぎ、砂糖を加える。

ちょっと甘めがおいしい。寒い晩に飲むと体が温まり、ぐっすり眠れる。

**Data**

**おいしい時期**
6月～9月

**保存**
水に挿して1～2日、あるいは乾燥させて密閉容器に

# コリアンダー
coriander

## 独特の香りがやみつきに

地中海沿岸地方、中東原産。香菜《シャンツァイ》やパクチーとも呼ばれています。

生葉には独特の強い香りがあり、好き嫌いが分かれますが、タイやベトナム、中国、中東などでは料理に欠かせないハーブです。種子は甘く、オレンジに似た香りのスパイスです。

精油成分はリナロール、ゲラニオール、ボルネオールなどで、消化促進、気分の高揚などに効果があるといわれています。

葉の色が鮮やかでみずみずしく、ハリのあるもの

**Data**

**おいしい時期**
葉：3月～6月
種：5月～7月

**保存**
冷凍、ドライ

料理

### エビのソテー コリアンダー風味

**材料**
コリアンダー…少々
からつきエビ…1パック
にんにく…1片
唐辛子、塩、こしょう…少々
オリーブ油…適量

**作り方**
1. オリーブ油ににんにくと輪切りの唐辛子を入れて熱し、香りが移ったらエビを入れて炒める。
2. エビの色がかわったら、塩、こしょうで味を調える。
3. 皿に盛りつけ、コリアンダーを散らす。

# ディル
dill

## 魚料理に合うさわやかな芳香

地中海沿岸地方、西アジア原産のセリ科のハーブで、全草にさわやかで強い芳香があります。葉と花は生で、種子はスパイスとして利用します。

酸味のある料理によく使われますが、とくに魚との相性は抜群。ディルを使ったサーモンマリネなどが有名です。

精油成分はリモネン、カルボンなどで、食欲増進、消化促進、鎮静作用があり、寝る前にティーにして飲むと安眠できるといわれています。

葉がよく茂り、全草にハリがあるものが新鮮

**Data**

**おいしい時期**
6月～10月

**保存**
冷凍、ドライ

### 花入りのピクルスが人気

葉、花、種子すべてにすがすがしい芳香があるディル。酢との相性がよく、ピクルスの香りづけにもよく使われている。商品名に「ディルピクルス」という名がついているものも多い。

# 安全な野菜って何ですか

流通している農産物には通常、農薬が使われています。その現状について正しく理解することが、野菜をおいしく食べることにつながります。

## 野菜を育てるのに農薬は必要？

育てたことのある方はだれもが感じていらっしゃるように、野菜はうっかりするとすぐ病害や害虫に侵されてしまいます。それというのも、野菜のほとんどは草本性でやわらかいうえ、長年かかって人間が利用しやすいよう良食味、多収量の性質に改良してきたので、病害虫にたいへん侵されやすい性質になっています。つまり虫にとってもおいしいのです。それゆえ野菜づくりでは、病害虫から守る手段は欠かせない大切なものなのです。

病害虫に侵された野菜の被害部をよく見ると、動物による場合と違い、そのほとんどは体の外からの病原菌、ウイルスの伝染や害虫の食害、あるいはそれにともなう伝播によって起こっていることがわかります。そして、一度被害をうけた跡は、決して元通りに回復することはありません。

ですから、病害虫に侵されていない「きれいな野菜」を、あるいは多少は侵されていたとしても食べるのに差し支えない程度の野菜を、いつも間違いなく育て上げるには、病害虫から守る手段が不可欠になってくるのです。

その方法としていちばん手っ取り早いのが多くの場合は農薬の使用で、安定した栽培を続けるには〝最小限の農薬は必要〟ということになります。とくに日本の気候には、高温多湿の病害虫の非常に出やすい梅雨があるので、それをうまく乗り切るには農薬の手助けが必要なケースが多いのです。

有機JASマーク

認定機関名

**有機農産物**

このマークのある野菜、果物は、JAS法により、有機農産物として認められたものです。
種まき又は植えつけ前2年以上、禁止された農薬や化学肥料を使用していない田畑で栽培する。
栽培期間中も禁止された農薬、化学肥料は使用しない。
遺伝子組換え技術を使用しない。（2001年4月農林水産省）
この「有機JASマーク」がないもので「有機栽培」「オーガニック野菜」「無農薬野菜」「自然栽培」「天然栽培」など、基準のあいまいな、まぎらわしい表示を付すことは法律で禁止されています。

マークなし

**特別栽培農産物**

農林水産省のガイドラインに基づき、自然環境への配慮から、化学合成農薬及び化学肥料の使用を、都道府県等が独自に定めた各地域の一般的な使用状況である慣行レベルと比較してそれぞれ5割以上削減して栽培した農産物を対象とし、関係者が表示をおこなう際に混乱が生じないよう定めたもの。
（平成19年3月23日改正。ただし、同日以前に作つけされた農産物の場合および印刷ずみの包材等が準備されている場合には、従来どおりの表示をおこなうことは差し支えない）

もちろん、農薬をまったく使わずに育てることもできます。家庭菜園はそのためにやっているという人もたくさんおられます。それは、作る野菜の種類を病害虫に侵されにくいものに限定し、発生しにくい時期に栽培すれば、比較的楽に達成できます。また次に述べる手段を、たくさんの手をかけておこなえば達成できるからです。

その手段というのは、1．病害虫の発生源、感染源をできるだけ少なくする　2．病害虫の被害を受けつけにくい健康体の野菜づくりをする　3．耐病性の品種、接ぎ木苗などを用いる　4．害虫の飛来・接触を物理的に回避する資材、障壁作物などを取り入れる　5．害虫、病葉を見つけたら手で徹底的に取り除く　などです。

しかしこれらは、大面積でないとできないこと、逆に小面積でなければできないことなどの限定条件がついてきます。ですから一般的には〝最小限の農薬を使う〟のが無難といってよいでしょう。

## 残留農薬基準と使用基準

畑に散布された農薬は、病害虫や雑草を防いだり作物の生育を調整したりする効果を発揮したあと、雨で洗い流され、あるいは日光や土壌微生物によって分解され、多くは消滅していきますが、ごく微量は作物体に残留することがあります。この残留した農薬が人の健康に悪い影響を及ぼさないよう、基準が設けられています。これが「残留農薬基準」です。

この決め方は、実験動物を用いた毒性試験をもとに発ガン性、繁殖への影響、催奇形性、遺伝毒性などさまざまな試験成績を評価し、人が一生涯にわたって毎日摂取し続けても健康に何ら影響を及ぼさないとみなされるADI（一日摂取量）を設定、その食品から摂取する農薬がADIの80％以内となるよう定められています。

2006年5月29日からポジティブリスト制度が施行され、それまで残留基準が定められていた農薬以外は規制されていませんでしたが、それ以外のすべての農薬を対象に、人の健康を損なうおそれのない量が0・01ppmと適用。この一律基準を上回る量が検出されれば販売禁止という厳しいものになりました。

また農薬は、残留性のほか薬効、薬害などを考慮し、安全で適正な使用方法が、薬剤ごと対象作物ごとに、登録時に示されています。これが農薬の「使用基準」で、ラベルに必ず記載されています。その内容は、１．適用作物　２．単位面積当たりの使用量の最高限度または希釈倍数の最低濃度　３．使用時期（収穫前何日など）４．総使用回数（栽培期間中に何回以内など）です。

使用基準にはこのほか、期限切れの農薬を使用しない、使用した農薬の種類や量を記帳する、使用した農薬が周囲に飛散しないようにする、水田で使用する農薬の止水期間を守る、土壌くん蒸剤の被覆期間を守り揮散防止に努める、などの努力項目も設けられています。これらは家庭菜園でも守るように農林水産省から通達されてもいるのです。

## 有機野菜、無農薬野菜、減農薬野菜の違いって？

正しくは「有機農産物」「特別栽培農産物」と呼ばれるものです。

有機農産物を生産するための〝有機栽培〟の条件は、たいへん細かく決められているので詳細は省きますが、要約すると、種まきまたは植え付け前2年以上化学的に合成された肥料、農薬を使用していない田畑で、栽培中もこれらを使用せず、堆肥など（有機質肥料）で土づくりをして栽培すること、および遺伝子組み換え技術を使用しないこと、となります。一時たいへんまぎらわしい産物が多く出回ったので、２００１年4月からは〝有機農産物〟〝オーガニック〟と表示するには有機ＪＡＳマークを貼ることが義務づけられました。このマークを貼るには定められた基準を満たし、検査員による検査を受け、第三者機関である認定機関から有機認定を取得しなければならなくなりました。このマークがない農産物や農産物加工食品に有機、オーガニックなどの名称や、これとまぎらわしい表示をすることは法律違反となり、罰則が科されます。

かつては無農薬、減農薬あるいは無化学肥料、減化学肥料という呼称が多くの野菜などに使われ、目立つように表示されていました。ところが、その表示はあいまいで本当に無農薬なのか信頼できにくかったので、２００４年4月1日以降の新ガイドラインでは、その表示ができなくなり「特別栽培農産物」と改称されました。これは化学合成農薬、化学肥料を慣行栽培（地方公共団体が制定・確認したもの）の5割以上を減らして栽培された農産物です。何が特別なのかわかるように〝無農薬栽培〟〝減農薬栽培〟とつけ加えられるので、ここでかつての呼称に出くわすのです。

## 生産場面では消費者に知られていない事実がある

生産現場の野菜栽培では、かつて薬剤散布や土壌消毒のために多くの毒性の強い農薬を用いたり、回数を多くしたりして、生産者が中毒症状や健康障害に見舞われ、食品としての野菜の残留農薬が安全性を損ねたりして、大きな社会問題となっていました。そのため農薬の安全使用についての検討、規制の強化が急速に進められ、農薬の種類が大きく変わって毒性や残効性が弱まり、前項のような安全使用のための諸基準による規制とその遵守が、たいへん厳しく指導されるようになってきたのです。

また、生産場面では耐病性品種を導入し温室やビニールハウス、雨よけハウスなどで気象環境を制御、あるいは防虫網、天敵、性フェロモンの利用などで害虫を回避・減少させるなど、総合的な防除体系への転換がおこなわれました。これによって使用農薬の量・使用回数は著しく節

減（最多時の数分の1以下にも）されてきたのです。最近ではポジティブリスト制度遵守のために、散布農薬の周辺作物への飛散防止も厳しく守らなければならなくなりました。

　家庭菜園では、こうした技術改良の恩恵はほとんど受けられないので、安定した作柄を得るには、生産現場よりも農薬の依存度はかえって高くなりがちです。また、このような制度上の情報伝達のルート、機会も少ないので、使用基準の遵守、散布時の飛散などについての配慮も徹底されていないのが実情といえそうです。

　もちろん、ときには生産現場にも違法な使用はあり、登録期限がすぎ、使用禁止になった農薬を使用したり、違法使用で残留基準を超えた農薬が野菜から検出されたりして、取締りが大きく報道されたこともありました。しかし最近ではトレーサビリティ（生産履歴追跡）のための産地ごとの生産農家の栽培基準の遵守、記帳の徹底などが進み、安全性は極めて向上してきました。

　またGAP（適正農業規範）という、栽培から収穫・調整出荷にいたるまでの病原微生物・残留農薬・汚染物質・異物混入等の食品安全危害を最小限に抑える衛生管理によって責任ある農業の実践を図る動きもあらわれています。その背景から、たいへん厳重な衛生管理に基づく農場、調製出荷の施設等も見られるようになってきました。

　しかし、このような栽培や流通システムの実施、記帳などにはかなりの経費と労力が必要です。生産コストの上昇は否めず、販売上のメリットもあまり明らかでなく、とくに近年の野菜の販売価格低迷の傾向のもとでは、たいへん厳しい状況におかれています。

## どうやって食べると安心か

　野菜に農薬が使われるのは、私たちが風邪をひいたときに風邪薬を服用するのと同じ、と考えるとわかりやすいかもしれません。効果は永続するわけではなく、用法用量を守って正しく使用されている限り安全、という大前提があるのです。農薬についての正しい知識をもつことが、いちばん肝心といえるでしょう。

　気になる方は、信頼のおけるところで栽培された、あるいは扱っている野菜を、自分の目で選んで購入すれば、より安心でしょう。手づくりの野菜なら申し分ありません。そんなことが、野菜をおいしく食べるということにつながるのではないでしょうか。

農学博士
**板木《いたぎ》利隆《としたか》**

神奈川県園芸試験場長、神奈川県農業総合研究所所長等を経て、板木技術士事務所所長。JA全農や（社）日本施設園芸協会等、多くの団体や学会の委員や顧問を務めるかたわら、講義や執筆活動を精力的におこなっている。著書に『家庭菜園大百科』『はじめての野菜づくり12か月』（家の光協会）『ぜひ知っておきたい　昔の野菜今の野菜』（幸書房）ほか、多数。

# 用語説明

## あ

### エチレン

野菜や果物が呼吸をする際に発生する、植物ホルモンのひとつ。熟成を促進する働きがある。とくに、りんご、メロン、青梅、桃が多く排出する。

### 晩生《おくて》

通常よりも長期間かかって収穫できるようになる品種。⇔早生《わせ》

## か

### 活性酸素

人間が体内に酸素を取り入れてエネルギーを作る過程で、一部の酸素が化学的に活性になり、非常に強い酸化力を持つようになる。これが活性酸素であり、食品添加物、喫煙、紫外線、大気汚染、ストレスなどが原因となり、発生すると考えられている。活性酸素は体内に入り込んだ細菌などを排除する働きもあるが、過剰に発生した場合は体が酸化し、生活習慣病などを引き起こすともいわれている。

### 花蕾《からい》

肥大した花茎とその先にある多数の未熟なつぼみのこと。ブロッコリーやカリフラワーではこの花蕾を食す。

### 結球

白菜やキャベツなどの葉が重なり合い、玉のようになること。ちなみにサラダ菜のようにゆるく巻いたものは半結球、サニーレタスは不結球と呼ぶ。

### 抗酸化作用

活性酸素を抑える働きを、抗酸化作用という。本来人間の体内にもあるものだが、年齢とともに減少していくので、多く含む食品から摂取するとよいと考えられている。とくに注目されているのは、カロテン、ビタミンC、E、ポリフェノールなど。

### 香辛料

植物性の調味料の一種。スパイスともいう。香りが高く、辛みがあったり、色が鮮やかだったりすることが多い。香辛料には防腐、殺菌作用が強いものが多く、保存の目的で利用される場合もある。

## さ

### 地這《じば》い

丈が伸びるつる性の植物を、支柱を使わずに栽培すること。相応の面積を使うが、葉が土の表面を覆うので、乾燥しにくい。きゅうり、すいか、かぼちゃなどでおこなわれる。

### す（鬆）

大根やごぼうなどの中心にできる細い空洞の部分をいう。収穫が遅れると組織の繊維分が発達し、水分を失うために生じる。

## た

### 草本《そうほん》

茎が木質化せず、ある程度育ったら肥大を止める植物。これに対して、茎が木質化し、何年も生育する植物を木本《もくほん》という。

### 耐病性

病原体の感染を受けても病徴をあらわさないか、発病しても生育や収量に影響が出ない性質。品種によってかなり大きな差があるので、耐病性の品種を選ぶことは、病害を予防するうえでたいへん有効な手段である。

### 多肉植物

葉や茎、根などの体の一部が多肉質になり、そこに多量の水分を蓄えている植物。おもに乾燥地域で生育するため、適応できるよう変化した。サボテンに代表される。

### 多年生

生育して開花、結実したあとも枯死せず、長年にわたって生育するもの。アスパラガスやにらなど。

### 腸内環境

人間の腸の中には、数百種、約１００兆個もの細菌がすんでいる。体に有益な働きをする発酵型細菌である「善玉菌」、発ガン促進物質や生活習慣病の原因となるなど、有害な働きをする腐敗型細菌の「悪玉菌」、優勢な菌に影響を受けやすい「日和見菌」、それらのバランスを腸内環境という。食生活の偏り、ストレス、加齢、病気による抗生物質の服用などで悪玉菌が増えると、この腸内環境はおおいにくずれてしまう。

## ちりめん状

表面に細かいシワがある形状。葉がちぢれているちりめんキャベツ（サボイキャベツ）は弾力があり、輸送の際にも傷みにくい。

## 追熟

完熟する前に収穫し、あとで熟成させること。早めに収穫すると保存性が高いので、その後の輸送や出荷作業がしやすくなる。トマトやメロンなどのように追熟をおこなってから店頭に並べる場合と、かぼちゃやさつまいものように購入後、自宅で追熟させる場合がある。

## 接《つ》ぎ木

ある植物の一部をほかの植物（台木）に接ぎ合わせて、新しい個体を増やす技術。病害に強く、生育おう盛な台木を使うことで、丈夫な個体が得られる。

## 特別栽培農産物

→P200 参照

農林水産省のガイドラインに基づき、化学合成農薬と化学肥料の使用を、各地域の慣行レベルの半分以下にした栽培方法で生産された農産物をいう。

### な

## 軟白栽培（遮光）

植物の葉や茎の上に、土を盛ったり覆いをかけたりして、光をさえぎって栽培すること。ねぎ、チコリ、エンダイブ、三つ葉などでおこなわれている。

### は

## 粘質

じゃがいもやかぼちゃのねっとりとしている肉質をいう。糖の含有量が比較的多いので、貯蔵しているうちに甘みが増す場合もある。煮くずれしにくいのが特徴。

## 胚芽

植物の種子のうち、生長すると芽になる部分をいう。発芽に必要な栄養が豊富に含まれている。

## 早採り（若採り）

生長途中の若い段階で収穫したもの。やわらかく味がまろやかで、早採りすると株の消耗が少ないといった特徴があるため、次々と結実し、多収につながる。

## 粉質

じゃがいもやかぼちゃのホクホクした肉質をいう。でんぷんが多く含まれるため、煮るとくずれやすい。

## ポストハーベスト農薬

収穫後の農産物に使用する、殺菌剤や防カビ剤などのこと。日本ではその使用は禁止されているが、諸外国から日本へ輸入される農産物に、輸送中の防カビ対策として用いられることがある。

### ま

## 未熟果

まだ完熟していない果実のこと。いんげんは完熟するといんげん豆だが、その未熟果はさやいんげんである。また、完熟したパパイヤは果物として生食されるが、まだ青い未熟果は野菜のように調理して食す。このように、未熟な状態でも食べられているものは多い。

### や

## 有機農産物

→P200 参照

JAS法（農林物資の規格化及び品質表示の適正化に関する法律）の規格を満たした野菜をいう。その規格とは、（1）種まきまたは植えつけ前2年以上、禁止された農薬や化学肥料を使用していない田畑で栽培する。（2）栽培期間中も禁止された農薬、化学肥料は使用しない。（3）遺伝子組み換え技術を使用しない。（農林水産省の発表より）

### ら

## 鱗茎《りんけい》

地下茎の一種。葉が養分を蓄えて太り、球形や卵形になったものをいう。たまねぎ、ねぎ、ゆりなど。

## 露地栽培

日照や雨風の影響を直接受け、自然条件の中で栽培することをいう。それに対して、ビニールハウスなどの被覆条件の中で栽培することを施設栽培という。

### わ

## 早生《わせ》

作物や果物の中で、早く成熟し、収穫できる品種のことをいう。逆に、長時間かかって収穫できる物を晩生《おくて》（「ばんせい」ともいう）、その中間を中生《なかて》という。

# さくいん

## さ



## た



## な

## 参考文献


『都道府県別地方野菜大全』　農文協

『食材図典　生鮮食材篇』　小学館

『草土花図鑑シリーズ４　花図鑑野菜』　草土出版

『野菜の効用事典』　明治書院

『野菜がクスリになる50の食べ方』　小学館

『野菜のビタミンとミネラル』　女子栄養大学出版部

『五訂増補 食品成分表』　女子栄養大学出版部

『よく効く野菜くだもの療法』　家の光協会

『体をいやす野菜の事典』　グラフ社

『薬膳　素材辞典』　源草社

『沖縄ぬちぐすい事典』　プロジェクト　シュリ

『永平寺の精進料理』　学習研究社

『しあわせ豆料理』　家の光協会

『柚子のある暮らし』　文化出版局

『やさい畑』　家の光協会

『家庭でできる食品添加物・農薬を落とす方法』　PHP 研究所

## ホームページ


社団法人日本青果物輸入安全推進協会　http://www.fruits-nisseikyo.or.jp

バナナ大学　http://www.banana.co.jp/

こんぶネット社団法人日本昆布協会　http://www.kombu.or.jp/

日本わかめ協会　http://www.nippon-wakame.com/index.html

日本ひじき協議会　http://www.hijiki.org/

農林水産省統計情報　http://www.maff.go.jp/j/tokei

厚生労働省　http://www.mhlw.go.jp/

財務省貿易統計　http://www.customs.go.jp/toukei/info/index.htm

日本食品標準成分表（文部科学省）
http://www.mext.go.jp/a_menu/syokuhinseibun/1365295.htm


## 協　力


㈱神田育種農場

住友化学園芸㈱

中原採種場㈱

日本デルモンテ㈱

由比　進（独立法人農研機構　東北農業研究センター）

麻生勝夫

石倉悦子

堀江敦子

代情悠子

監修者

**板木利隆**　いたぎ としたか

神奈川県園芸試験場長、神奈川県農業総合研究所所長等を経て、板木技術士事務所所長。JA全農や(社)日本施設園芸協会等、多くの団体や学会の委員、顧問を務めるかたわら、講義や執筆活動を精力的におこなっている。


〈著書〉

『家庭菜園大百科』『はじめての野菜づくり 12か月』(家の光協会)、『ぜひ知っておきたい昔の野菜 今の野菜』(幸書房)ほか多数。

**クリエイティブディレクション**　石倉ヒロユキ
**編集・執筆協力**　真木文絵、坂口ちづ
**デザイン**　小池佳代、日野洋平(regia)
**写真**　石倉ヒロユキ
**DTP協力**　天龍社

# からだにおいしい 野菜の便利帳

監修者　板木利隆
発行者　高橋秀雄
発行所　**株式会社 高橋書店**
〒170-6014 東京都豊島区東池袋3-1-1 サンシャイン60 14階
電話　03-5957-7103
ISBN978-4-471-03381-1　©TAKAHASHI SHOTEN　Printed in Japan



本書の内容についてのご質問は「書名、質問事項(ページ、内容)、お客様のご連絡先」を明記のうえ、郵送、FAX、ホームページお問い合わせフォームから小社へお送りください。

回答にはお時間をいただく場合がございます。また、電話によるお問い合わせ、本書の内容を超えたご質問にはお答えできませんので、ご了承ください。本書に関する正誤等の情報は、小社ホームページもご参照ください。

**【内容についての問い合わせ先】**
書　面　〒170-6014 東京都豊島区東池袋3-1-1 サンシャイン60 14階　高橋書店編集部
F A X　03-5957-7079
メール　小社ホームページお問い合わせフォームから　(https://www.takahashishoten.co.jp/)

**【不良品についての問い合わせ先】**

ページの順序間違い・抜けなど物理的欠陥がございましたら、電話03-5957-7076へお問い合わせください。

ただし、古書店等で購入・入手された商品の交換には一切応じられません。